D1628133

SAINT PAUL

Introduction à saint Paul et à ses lettres

Mireille Brisebois

Éditions Paulines & Médiaspaul

La miniature de la couverture est du XIV siècle; elle se trouve dans les archives de la cathédrale de Pavie, en Italie.

Composition et mise en page: *Les Ateliers Chiora Inc.*

Maquette de la couverture: *Antoine Pépin*

Imprimatur: No 200-102

ISBN 2-89039-968-0

Dépôt légal — 3e trimestre 1984
Bibliothèque nationale du Québec
Bibliothèque nationale du Canada

© 1984 Les Éditions Paulines
    3965, boul. Henri-Bourassa est
    Montréal, Qué., H1H 1L1

    Médiaspaul
    8, rue Madame
    75006 Paris

À Pierre

L'auteur remercie vivement ses amis: monsieur Pierre Guillemette qui a eu l'idée de lui demander d'écrire cet ouvrage et qui l'a soutenue tout au long de l'élaboration du projet; monsieur Gérard Rochais qui l'a assistée de ses judicieux conseils et a révisé minutieusement son travail; monsieur Léonard Audet qui l'a encouragée et lui a donné libre accès à sa bibliothèque.

Un merci très sincère aussi aux professeurs de Bible de l'Université de Montréal qui à un moment ou l'autre ont relu une partie de cette INTRODUCTION, de même qu'à mesdames Jacqueline Hébert et Line Pétroff qui ont dactylographié le texte.

Sommaire

Le but de cette INTRODUCTION est d'offrir aux étudiants en théologie, aux responsables de groupes bibliques et à tout chrétien intéressé, la possibilité de se familiariser avec la vie, l'œuvre et la pensée de l'apôtre Paul.

L'ouvrage est divisé en trois parties : la première présente l'homme, sa vie, son œuvre; la deuxième traite du type de littérature puisque c'est par ses lettres que nous le connaissons; la troisième offre quelques notions de base nécessaires avant d'aborder une étude sérieuse de la théologie paulinienne.

Chacune de ces parties comprend donc l'étude des thèmes les plus importants pour une initiation. Chaque thème est suivi d'une bibliographie des principaux ouvrages français et anglais accessibles dans les bibliothèques du Québec. Une bibliographie plus générale est donnée en appendice.

Les nombreuses citations d'auteurs connus ne sont pas l'effet du hasard ou encore un caprice de l'auteur. C'est plutôt une incitation à consulter ou à lire les ouvrages mentionnés. De plus, dans certains passages discutés, apparaissent les noms de quelques exégètes qui ne figurent pas dans la bibliographie : la raison d'une telle nomenclature est d'orienter les lecteurs qui seraient intéressés à faire une recherche plus poussée.

Paul est un personnage fascinant mais si peu connu... Puissent ces pages le faire connaître et surtout le faire aimer. Ses lettres sont d'une actualité surprenante. Elles gagneraient à être étudiées mais leur lecture n'est pas d'accès facile. Pour en saisir toute la richesse, il faut une certaine initiation. Puisse cette INTRODUCTION rendre service à ceux et celles qui voudraient tenter cette aventure extraordinaire.

Abréviations

BA	Biblical Archaeologist
BJRL	Bulletin of the John Rylands Library
BTBib	Bulletin de théologie biblique
CanJT	Canadian Journal of Theology
CBQ	Catholic Biblical Quarterly
Conc	Concilium
CommViat	Communio Viatorum
ETL	Ephemerides theologicae lovanienses
EtudTheoRel	Études théologiques et religieuses
EspVie	Esprit et Vie
ExpT	Expository Times
HTR	Harvard Theological Review
Interpr	Interpretation
JBL	Journal of Biblical Literature
JNES	Journal of Near Eastern Studies
JTS	Journal of Theological Studies
LV	Lumière et Vie
NT	Novum Testamentum
NRT	Nouvelle revue théologique
NTS	New Testament Studies
RechSR	Recherches de science religieuse
RSR	Revue des sciences religieuses
RB	Revue biblique
RT	Revue thomiste
SDB	Supplément au dictionnaire de la Bible
StuTheo	Studia theologica

Première partie

Paul, l'homme, sa vie, son œuvre

I
Nos sources de renseignements

Pour connaître Paul, nous avons deux sources principales d'information: ses *lettres* et les *Actes des Apôtres*. Cependant il ne faut pas croire qu'il est facile de reconstituer une biographie de l'apôtre, car les données historiques que nous possédons sont souvent incomplètes. De plus, elles nous parviennent à travers un message théologique que nous ne pouvons pas ignorer.

1. Paul, selon ses lettres

Les lettres de Paul sont, bien entendu, la source la plus sûre. Elles nous livrent des détails intéressants sur sa vie et sa personnalité. Ainsi en *Ph* 3,5-6, Paul nous renseigne sur ses racines juives, sa fidélité à la loi et son appartenance à la secte pharisienne. En *Ga* 1,12-21, il nous décrit ses activités au sein de la communauté juive avant l'événement de Damas. Il nous dit la transformation que la révélation du Christ a opérée en lui et l'activité apostolique qui s'en est suivie.

À cela, on pourrait ajouter plusieurs autres allusions autobiographiques faites à l'intérieur de ses lettres (1 *Co* 16,5-9; 1 *Th* 2,1-12.18; 1 *Co* 1,12-14; 1 *Co* 9,1-27...). Toutes ces considérations nous permettent de juger son caractère et son tempérament et de découvrir son zèle pour la proclamation de l'Évangile.

Évidemment, ces passages qui nous font connaître les projets et les travaux de l'apôtre, ses joies et ses inquiétudes le font sous l'angle existentiel de sa théologie et de sa pastorale. Jamais Paul n'a eu l'intention d'écrire sa biographie. Il est très discret sur sa vie privée. Et lorsqu'il communique certains renseignements qui le concernent personnellement, c'est toujours à l'occasion de circonstances particulières qui ont provoqué l'envoi de l'une ou l'autre de ses lettres.

2. Paul, selon les Actes

Les *Actes des Apôtres* sont aussi une source abondante d'information sur l'histoire de Paul. L'auteur nous présente l'apôtre avant sa conversion, comme un «jeune homme» zélé, sous le nom juif de Saul, au moment de la lapidation d'Étienne (*Ac* 7,58) et lorsqu'il termine son livre, Paul est à Rome, en liberté surveillée, après une vie missionnaire très active (*Ac* 28,31).

Donc plus de la moitié du livre des *Actes* traite de Paul et de sa mission apostolique. Trois fois l'événement de Damas est rapporté : une première fois, dans un récit (*Ac* 9,1-19); deux autres fois à l'occasion de discours (*Ac* 22,4-21; 26,9-18). Les récits des voyages missionnaires de l'apôtre sont longuement développés (*Ac* 13-20). Les chapitres 21-28 sont consacrés entièrement à Paul: à sa montée à Jérusalem, à son arrestation, à son emprisonnement et à son transfert à Rome.

Cependant malgré la place que l'auteur des *Actes* donne à l'apôtre dans son livre, nous ignorons tout des dates importantes de la vie de Paul: la date de sa naissance, celle de sa mort, de même que celle de l'événement de Damas sont restées le secret de l'histoire et elles sont encore aujourd'hui au centre des discussions; l'enfance et la jeunesse de l'apôtre sont enveloppées de mystère sauf quelques détails relatifs à une formation possible à Jérusalem (*Ac* 22,3-5); et les dernières années de sa vie ont été tout simplement ignorées.

Pourquoi tous ces silences?

Parce que le but de l'auteur n'est pas précisément de donner de telles informations. Ce qui l'intéresse, c'est de révéler aux chrétiens de son église l'événement de salut réalisé en Jésus Christ. Ce qui l'intéresse, c'est aussi de montrer l'expansion fulgurante de l'Église à la suite de cet événement et le témoignage qu'en ont donné les apôtres dans une continuité extraordinaire. Tout son ouvrage est écrit uniquement dans cette perspective.

Pour M. Dibelius, W.G. Kümmel, W.C. van Unnik, E. Haenchen et plusieurs autres critiques, les *Actes* sont une sorte de catéchèse composée en vue d'assurer l'instruction religieuse des croyants. Selon A. Harnack et J. Dupont, l'auteur avait des sources à sa disposition et il les a retravaillées tant et si bien qu'elles sont difficiles à retracer. Quoi qu'il en soit l'auteur n'a pas voulu écrire une histoire au sens moderne du terme, mais plutôt une sorte «d'histoire religieuse» et encore, seulement quelques pages de cette histoire. De cela, il ne faut pas lui faire grief. On voit bien par exemple que les grands discours de Paul à Athènes (*Ac* 17,22-31); à Antioche (*Ac* 13,16b-42); au Temple de Jérusalem (*Ac* 22,1-21) ne peuvent avoir été prononcés tels quels. L'auteur rappelle sans doute des événements importants de la vie de Paul, mais il développe sa pensée à l'intérieur d'une forme littéraire — le discours — et il est évident que le but théologique de ces discours est de mettre en lumière la signification des événements relatés dans les récits. Les questions qui se posent alors sont les suivantes: qu'est-ce qui, dans les discours, est authentique? Qu'est-ce qui relève de la rédaction de Luc? Quelle est son intention théologique? Les réponses à de telles questions font encore l'objet de la recherche.

3. Les différences entre les deux sources

Si l'on essaie de comparer les renseignements donnés par Paul dans ses lettres à ceux que l'auteur des *Actes* nous offre, on se retrouve bien sûr devant des différences appréciables. En voici quelques-unes:

— Les *Actes* mentionnent trois voyages à Jérusalem (*Ac* 9,26-30; 11, 30 et 12,25; 15,4); Paul ne parle que de deux voyages (*Ga* 1,18-19; 2,1).

— Les *Actes* présentent Paul comme étant toujours fidèle au pharisaïsme (*Ac* 26,2-8); Paul montre que son passé et ses titres juifs sont sans importance par rapport à la foi en Christ (*Ph* 3,7-8).

— Les *Actes* amenuisent les controverses entre Paul et ses adversaires alors que les lettres font une large place aux conflits qui mettaient en péril l'unité de l'Église primitive (*Ga* 1-2; 1 *Co* 1-4: 2 *Co* 10-13).

— Les *Actes* mettent l'accent sur une théologie du salut fondée sur la résurrection (*Ac* 13,30.35-36; 17,18.31-32; 23,6; 24,15.21); Paul, lui, insiste sur la valeur de la mort de Jésus et la parole de la Croix (1 *Co* 1,18-25; *Rm* 5-6; *Col* 1,22; *Ga* 2,21), mais relie aussi la mort à la résurrection (*Rm* 4,25; 6,9-10; etc.).

Faut-il conclure que le portrait de Paul qui se dessine dans les *Actes* n'est pas le même que celui qui apparaît dans les lettres? Peut-être, mais il faut tenir compte du but de l'auteur et des circonstances qui ont déterminé la rédaction de son ouvrage.

4. Valeur et utilité des Actes

On doit cependant reconnaître la valeur des *Actes*. Valeur confirmée par les données extra-bibliques. On ne peut nier que certains détails historiques, fournis uniquement par les *Actes*, rendent de grands services à l'étude biblique. En effet, comment pourrait-on élaborer une quelconque chronologie de l'apôtre sans le renseignement-clé de la comparution devant Gallion (*Ac* 18,12) ou encore de celui de la famine en Judée (*Ac* 11,28-30)? On peut aussi ajouter que l'auteur des *Actes* est particulièrement bien informé des conditions sociales, politiques et religieuses du monde du 1er siècle, donc du milieu dans lequel Paul a évolué.

Les renseignements qu'il donne dans ces domaines sont utiles et précieux à condition que l'on tienne compte de ce qu'il a voulu dire et dans quel contexte il le dit. Cependant l'historien d'aujourd'hui qui voudrait écrire une biographie de Paul ne peut pas «amalgamer sans examen préalable le livre des *Actes* et les *Épîtres*, car les *Actes* nous situent devant des difficultés particulières plutôt que d'accroître et d'assurer notre documentation» (BORNKAMM, *Paul*, p. 23).

Bibliographie choisie pour étudier le problème des Actes

BRUCE, F.F.,   *The Acts of the Apostles*, Londres, Tyndale Press, 1965.
CONZELMANN, H.,   *The Theology of St. Luke*, Londres, Tyndale Press, 1960.

DUPONT, J.,   *Les sources du Livre des Actes*, Paris, Desclée de Brouwer, 1960.

DUPONT, J.,   *Étude sur les Actes des Apôtres*, Paris, Cerf, 1960.

EHRHARDT, A.,   *The Acts of Apostles*, Manchester, Manchester University Press, 1967.

GASQUE, W.W.,   *A History of Criticism of the Acts of the Apostles*, Tübingen, Mohr, 1975.

GOULDER, M.D.,   *Type and History in Acts*, Londres, S.P.C.K., 1964.

HAENCHEN, E.,   *The Acts of the Apostles*, Philadelphia, Westminster Press, 1971.

HENGEL, M.,   *Acts and the History of Earliest Christianity*, Philadelphia, Fortress Press, 1979, pp. 35-40.

SCHMITT, J.,   «Les discours missionnaires des Actes et l'histoire des traditions prépauliniennes», *RechSR* 69 (1981), 165-180.

II
La chronologie paulinienne

1. Les points de repère

La chronologie paulinienne pose un problème majeur. Il suffit d'ouvrir une des nombreuses vies de Paul pour se heurter à un encadré plus ou moins grand qui nous offre une liste des dates importantes de la vie de l'apôtre et de la parution de ses lettres. Essayer de trouver une chronologie qui concorde parfaitement avec une autre est peine perdue.

Cependant pour situer l'œuvre missionnaire de l'apôtre dans le contexte historique de son époque et déterminer approximativement la date de ses écrits, on a quelques points de repère qui permettent de rattacher certains événements de sa vie à l'histoire universelle : la comparution devant Gallion (*Ac* 18,12); le remplacement de Félix par Festus (*Ac* 24,27) et la grande famine en Judée (*Ac* 11,28-30).

a)   La comparution devant Gallion

La comparution de Paul devant Gallion est le point fixe sur lequel toutes les chronologies pauliniennes sont établies. Même si la date de cet événement n'est pas mentionnée dans les *Actes,* la découverte d'une inscription à Delphes, en Grèce, en 1905 nous a apporté des précisions :

> Tibère Claude César Auguste Germanicus pontife souverain en la douzième année de son tribunat, acclamé empereur pour la 26e fois, salue la ville de Delphes... mon ami Lucius Julius GALLION, proconsul d'Achaïe, m'informe...

Cette inscription reproduit une lettre de l'empereur Claude à la ville de Delphes, au sujet d'un différend de frontière entre cette ville et les villes avoisinantes. Claude, dans cette lettre mentionne expressément le nom de Gallion. Or, c'est devant ce même Gallion que Paul a comparu durant son séjour à Corinthe.

Cette inscription étant datée de la 26e acclamation en l'honneur d'une victoire impériale, on a pu établir à l'aide des données de l'histoire profane, qu'elle devait se situer entre janvier et août 52 et que Gallion avait été proconsul de mai 51 à mai 52. La comparution de Paul doit avoir eu lieu entre ces dates-là.

Si l'on veut apporter encore plus de précision, on doit se poser trois questions: 1. à quel moment du proconsulat de Gallion, Claude a-t-il adressé sa lettre à Delphes?; 2. les Juifs ont-ils amené Paul devant Gallion au début ou à la fin du proconsulat?; depuis combien de temps Paul se trouvait-il à Corinthe? On ne peut répondre avec certitude aux deux premières questions, par contre *Ac* 18,11 semble indiquer que Paul a comparu après avoir séjourné à Corinthe durant dix-huit mois. Si l'on associe tous les éléments du problème, on peut en arriver aux conclusions suivantes: Gallion ayant été proconsul de mai 51 à mai 52, Paul aurait comparu probablement à la fin du proconsulat soit en mai 52 après son séjour de dix-huit mois; Paul serait donc arrivé à Corinthe en 50, à l'automne; après la comparution, il serait resté à Corinthe «encore assez longtemps» (*Ac* 18,18), probablement jusqu'en juillet.

b) Le remplacement de Félix

Selon *Ac* 23,24 et 24,27, Paul a comparu aussi devant le procurateur Antonius Félix, après deux années d'emprisonnement à Césarée, pendant lesquelles, Félix est remplacé par Festus (*Ac* 24,27). Pouvons-nous déterminer la date de la passation des pouvoirs de Félix à Festus? Trois auteurs anciens fournissent des données chronologiques sur ce changement: Josèphe, Tacite et Eusèbe. Mais ces données ne permettent pas d'arriver à une conclusion absolument certaine. La date la plus probable est 60 (bien que certains exégètes préfèrent 55/56). La comparution de Paul aurait alors eu lieu en 58.

c) La famine en Judée

La famine qui a sévi en Judée sous l'empereur Claude peut aussi nous guider dans l'élaboration d'une chronologie paulinienne. Cette famine se serait abattue sur la Palestine vers les années 45/48. Que conclure? La comparution devant Gallion est certes le point de repère le plus sûr. Mais à partir de la date qu'il nous fournit, on ne peut pas établir facilement la date de l'événement de Damas sans tenir compte du problème des voyages à Jérusalem.

2. Le problème des voyages à Jérusalem

Paul dans ses lettres mentionne deux voyages à Jérusalem après l'événement de Damas:

— *Premier voyage:* Paul a fait ce voyage trois ans après la révélation de Damas «pour faire la connaissance de Céphas» et Paul ne serait resté auprès de lui que quinze jours «sans voir aucun autre apôtre, sauf Jacques, le frère du Seigneur» (*Ga* 1,18-19).

— *Deuxième voyage:* Paul serait retourné à Jérusalem quatorze ans plus tard en compagnie de Barnabas et de Tite. Il nous dit qu'il y serait monté «à la suite d'une révélation» (*Ga* 2,1-2). L'apôtre est allé exposer son évangile d'abord à tous les frères et ensuite «aux personnes les plus considérées». Cette rencontre s'est soldée par une chaude poignée de mains et l'unité de l'Église a été sauvée (*Ga* 2,9).

Les *Actes* rapportent plusieurs voyages à Jérusalem. Certains auteurs en dénombrent jusqu'à cinq (*Ac* 9,26-30; *Ac* 11,30 et 12,25; *Ac* 15,4; *Ac* 18,22; *Ac* 21). Si l'on retient que notre but est de déterminer la date de l'événement de Damas, seuls les trois premiers nous intéressent:

— *Premier voyage:* Paul l'a effectué après son évasion de la prison de Damas. Ce voyage souligne les tentatives de Paul pour s'intégrer à la communauté chrétienne. Cette intégration a été réalisée grâce au concours de Barnabas (*Ac* 9,26-30).

— *Deuxième voyage:* Ce voyage a été décidé par les disciples dans le but de venir en aide aux frères de Judée aux prises avec une grande famine. Après «une campagne de souscription» les sommes recueillies furent confiées «aux mains de Barnabas et de Saul». L'aller et le retour de ce voyage pourraient être rapportés par *Ac* 11,30 et 12,25. Il faut noter cependant que 12,25 pose certaines difficultés d'interprétation.

— *Troisième voyage:* Ce voyage a été organisé par l'église d'Antioche à la suite d'un conflit qui a éclaté à cause de la venue d'apôtres judéo-chrétiens qui prêchaient la circoncision comme rite nécessaire au salut. Paul et Barnabas s'étant opposés à une telle obligation, il en est résulté des discussions assez vives au sein de l'église. Aussi on décida que Paul et Barnabas avec d'autres chrétiens monteraient à Jérusalem afin de rencontrer les apôtres et les Anciens à propos de ce différend (*Ac* 15,4).

Y a-t-il une harmonisation possible entre les récits des *Actes* et ceux de *Galates*?

Beaucoup de solutions ont été proposées pour harmoniser les voyages à Jérusalem. Voici la position de la majorité des exégètes:

— *Ac* 9,20-30 concorde avec *Ga*, 1,18-19 malgré des différences légères.

—*Ac* 11,30 et *Ac* 15,4 décrivent une seule et même visite: Paul et Barnabas auraient été chargés en même temps de porter des secours à Jérusalem et de faire le point sur la question de la circoncision des chrétiens d'origine païenne.

— *Ac* 15,4 (et son doublet *Ac* 11,30) peuvent être identifiés à *Ga* 2,1-10. Ces deux passages rendraient compte de l'Assemblée de Jérusalem. Assemblée qui a eu lieu en 48/49.

Tout compte fait, les *Actes* paraissent posséder des renseignements nombreux, mais plutôt vagues; Paul au contraire dispose de souvenirs personnels précis. Nous croyons donc que Paul est monté à Jérusalem après son séjour à Damas et cela sans passer par Antioche, mais de ce premier voyage ni *Galates* ni les *Actes* ne donnent une description exacte et détaillée. Le deuxième voyage s'est effectué beaucoup plus tard vers 48/49 à la fin du premier voyage missionnaire et l'Assemblée de Jérusalem a eu lieu durant ce deuxième voyage.

Au retour, Paul aurait passé quelque temps à Antioche (*Ac* 15,35) puis serait reparti pour sa deuxième mission ce qui viendrait appuyer la possibilité du séjour à Corinthe en 50/52.

3. Les chronologies longues et courtes

À cause des voyages à Jérusalem rapportés par *Galates*, deux types de chronologies ont été établis: les longues et les courtes. La question est de savoir si la préposition «ensuite» (*Ga* 1,18; 2,1) fait référence dans les deux cas à l'événement de Damas. Dans l'affirmative, cet événement aurait eu lieu 14 ans avant l'Assemblée de Jérusalem donc en 34/35. Par contre si l'on additionne 14 et 3 = 17 l'événement de Damas devrait être repoussé jusqu'en 32. Mais la façon de compter les années à l'époque pourrait ramener le total 17 à 15 ou 16 (une année commencée ou une année non terminée comptait pour une année entière).

4. Tableau de quelques chronologies de la vie de Paul

	TOB	BJ	PERROT	BORNKAMM	DOCKX	CAMBIER
Naissance	5/10	entre 5 et 10	entre 5 et 15	inconnue début du siècle	—	avant 10
Événement de Damas	36/37	34	34/35	32	35	32/33
1er voyage miss.	45/49	46-48	45-49	—	—	45-49
Ass. de Jérusalem	48/49	vers 48	48/49	48/49	Pâques ou été 48	49
2e voyage miss.	50-52	49-52	50-52	—	—	49-52
Séjour à Corinthe	50-52	50-52	50-52	hiv. 49/50 été 51	nov. 49 mai 51	50-52
Rencontre avec Gallion	printemps 52	printemps 52	printemps 52	—	entre 1 mai et 30 avril 52	—
3e voyage miss.	52-58	53-58	53/57/58	—	—	53-58
Séjour à Éphèse	54-57	54-57	54-57	52-55	nov. 51 juin 54	54-57
Dernier séjour en Macédoine	58	57	—	hiver 55/56	été/aut. 54	54-57
Voyage à Jérusalem et arrestation	printemps 58	58	57/58	printemps 56	Pentecôte 55	57/58
Transfert à Rome	60	60	automne 59	58	mars 56	60/61
Détention à Rome	61-63	61-63	57-59 ou 58-60	58-60	56-58	61-63
Mort sous Néron	?	67	entre 64-68	60	?	67

23

Si nous observons le tableau de la page précédente, nous remarquons que l'écart entre les dates est en général assez mince:

a) La naissance de Paul doit se placer entre 5 et 10 de notre ère puisqu'au moment de la mort d'Étienne (34) Paul est qualifié de «jeune homme» (*Ac* 7,58), ce qui signifie qu'il n'avait pas encore 30 ans. Vers les années 60, lorsque Paul écrit à Philémon (*Phm* 9) et se dit «ancien, vieux», il pouvait avoir alors entre 49 et 56 ans selon un texte d'Hippocrate.

b) L'événement de Damas se situe entre 32 et 36/37. Mais la date la plus probable est 34/35.

c) Le premier voyage missionnaire a eu lieu entre 45 et 49 avant l'Assemblée de Jérusalem selon *Ac* 13,1 — 14-28, mais nous ignorons sa durée.

d) L'Assemblée de Jérusalem fait presque l'unanimité. On la fixe en 48/49 et le deuxième voyage missionnaire est entrepris immédiatement après. Il se prolonge jusqu'en 52.

e) Le séjour de Paul à Corinthe est aussi unanimement placé entre 49 et 52. Pour la majorité des critiques, Paul est arrivé à Corinthe à la fin de 50.

f) Le troisième voyage missionnaire débute donc en 52. C'est au cours de ce voyage que Paul séjourne 3 ans à Éphèse (*Ac* 19,8.10; 20,31). À la fin de ce voyage, il retourne en Grèce (*Ac* 20,3; 1 Co 16,6) et fait sa montée à Jérusalem. Il y est arrêté dans le Temple (*Ac* 21,27-29) probablement au printemps, à l'époque de la Pentecôte (*Ac* 20,16).

g) Après deux ans de captivité à Césarée (*Ac* 24,27) il est transféré à Rome, à l'automne 60 après la fête des Expiations (*Ac* 27,9). Arrivé à Rome au printemps suivant, il est détenu en liberté surveillée pendant deux ans (*Ac* 28,30) jusqu'en 63.

h) La date de sa mort est incertaine. On sait par Eusèbe qu'il a subi le martyre pendant la persécution de Néron, persécution qui a duré de 64 à 68.

5. Tableau de quelques chronologies des lettres pauliniennes

Nous avons montré les difficultés qui se posent pour établir une chronologie de la vie de Paul, nul besoin de dire qu'essayer d'établir une chronologie des lettres est aussi difficile. Les seuls indices que nous possédions sont dans les lettres elles-mêmes. Voici quelques positions:

	TOB	BJ	PERROT	BORNKAMM	DOCKX	CAMBIER
1 *Th*	début 51	50/51	50/51	printemps 50	1re moitié 50	51-52
2 *Th*	peu après 1 Th	après 1 Th	50/51	54	1re moitié 50	51-52
1 *Co*	printemps 56	Pâques 57 avant Pent.	55	54/55?	avant Pâques 54	57
2 *Co*	fin 56/57	fin 57	55/56	54/55?	54	57
Ga	hiver 56/57	57	55/56	54	fin juil. 54	54/55
Rm	57/58	hiver 57/58	55/56	hiver 55/56	54/55	57
Col	61/63 54/57 58/60	61/63	60/63?	proche d'Ep 100 ap. J.C.	—	63-67
Ep	post-apost.	61/63	—	—	—	63-67
Phm	61/63?	61/63	60/63?	54/55	—	63-67
1 *Tm*	après 63	vers 65	63/67	premières décennies 2e s.	été 65	?
2 *Tm*	64/67 ou début 2e s.	avant 67	63/67	—	67	?
Tt	après 63	vers 65	63/67	—	65	?
Hé	proche de la mort de Paul	vers 67	avant 70	—	—	?

25

Bibliographie choisie pour étudier la chronologie paulinienne

CAMPBELL, T.H.,   «Paul's Missionary Journeys as Reflected in His Letters», *JBL* 74 (1955) 80-87.

DOCKX, S.,   *Chronologies néotestamentaires et vie de l'Église primitive,* Gembloux, Duculot, 1976.

DUPONT, J.,   «La mission de Paul à Jérusalem» (Actes 12,25)», *NT* 1 (1956) 275-303.

GIET, S.,   «Les trois premiers voyages de saint Paul à Jérusalem», *RechSR* 41 (1953) 321-347.

GIET, S.,   «Nouvelles remarques sur les voyages de saint Paul à Jérusalem», *RSR* 31 (1957) 329-342.

GIET, S.,   «Le second voyage de saint Paul à Jérusalem», *RSR* 25 (1951) 265-269.

OGG, G.,   *Chronology of the Life of Paul,* London, Epworth Press, 1969.

RIGAUX, B.,   *Saint Paul et ses lettres,* Paris, Desclée de Brouwer, 1962, pp. 99-138.

ROBINSON, J.A.T.,   *Redating the New Testament,* Londres, Blackwell, 1975, pp. 30-85.

III
L'homme avant
l'événement de Damas

1. Lieu d'origine et milieu de vie

Paul est né à Tarse en Cilicie — au sud de la Turquie actuelle — au début de notre ère (*Ac* 21,39; 22,3). Cette ville, d'environ 300 000 habitants, était un port international, le commerce y était florissant. Cité cosmopolite à cause de sa situation au carrefour des routes du pays et de sa proximité de la Méditerranée, elle était ouverte à toutes les races et à toutes les cultures. Grecs, Orientaux, Juifs et nomades s'y côtoyaient en toute liberté. La communauté juive y était nombreuse et bien vue; elle ne vivait pas en ghetto. Attirés par le commerce, mais aussi par l'ambition de gagner des prosélytes, les Juifs réussissaient à faire respecter leur religion et leurs coutumes.

Tarse était aussi un centre important de culture hellénistique. Elle avait une université de grande renommée qui rivalisait avec celles d'Athènes et d'Alexandrie. Au point de vue religieux, comme toutes les grandes villes portuaires, elle connaissait un syncrétisme confus et passionné.

Paul était un enfant de cette ville extraordinaire et c'est dans ce milieu de contraste et d'effervescence mais aussi de grande liberté qu'il grandira. Il sera comme sa ville natale, un être de contraste, bondissant et passionné, mais aussi un être sensible et généreux. Son esprit enrichi par les cultures juive et hellénistique lui permettra de s'ouvrir aux problèmes du monde.

27

Au physique, Paul, selon un livre apocryphe, aurait été «un homme petit de stature, à la tête chauve, aux jambes arquées, vigoureux, ayant les sourcils joints, avec un nez légèrement bombé». Ces détails pourraient être confirmés par les lettres: Paul parle de son peu de prestance en 2 *Co* 10,10; il mentionne aussi une des épreuves de sa vie: «une écharde dans ma chair» en 2 *Co* 12,7. Notons que ce problème a déjà fait couler beaucoup d'encre et qu'il n'a pas reçu de solution.

Paul appartenait à une famille de vieille souche juive. Selon la tradition la plus stricte, il avait été circoncis le huitième jour. Par ses parents, il pouvait se rattacher «à la race d'Israël», «à la tribu de Benjamin» et se déclarer «Hébreu, fils d'Hébreu» (*Ph* 3,5). Même si cette expression est discutée, il semble bien qu'elle servait à distinguer les Juifs de la Diaspora qui comprenaient et parlaient la langue de leurs ancêtres — l'araméen —des Juifs hellénisés qui ne parlaient que le grec. Par son père, Paul était aussi citoyen romain (*Ac* 16,37-38; 22,25-26.29; 23,27; 25,10-11) ce qui était un privilège envié. On peut donc supposer qu'une certaine aisance régnait au sein de la famille. Aisance qui pourrait peut-être expliquer certains détails fournis par les *Actes* et les *lettres*: les nombreux voyages qu'il a effectués; les dépenses occasionnées par l'entretien d'un logis à Rome, durant sa liberté surveillée (*Ac* 28,30); l'offre faite à Philémon de payer les dettes d'Onésime (*Phm* 18-19).

À sa naissance, Paul a reçu le nom juif de Saul et le nom grec de Paul. Les *Actes*, le nomment Saul jusqu'en 13,9, ensuite, Paul. Le changement d'appellation correspond au fait que Paul commence alors à évangéliser le monde grec. Cependant, Paul, dans ses lettres, se présente toujours sous son nom grec malgré son attachement à la religion juive.

Paul avait un métier, il était tisserand (*Ac* 18,3). La pratique d'un métier était de règle chez les rabbins. Ils devaient eux-mêmes assurer leur subsistance afin d'enseigner la *Torah* (la loi) gratuitement. C'est peut-être ce qui expliquerait plus tard son désintéressement (1 *Co* 9,15-18). Formé à donner gratuitement dans le rabbinisme, il aurait continué d'agir de la même manière une fois devenu chrétien.

Paul était-il marié ou célibataire? Les *Actes* se taisent, mais le texte de 1 *Co* 9,5-6 laisse entendre qu'il aurait pu être marié. Sa conversion aurait-elle provoqué une séparation? C'est une hypothèse et lorsqu'il se dit célibataire en 1 *Co* 7,7-8 il peut faire allusion au fait qu'il était séparé ou veuf. Toutes ces questions restent ouvertes et elles pourraient avoir de l'intérêt aujourd'hui si on les étudiait sous l'angle des rapports entre Paul et la femme.

2. Le pharisien et sa formation

Paul appartenait au pharisaïsme, branche de la religion juive qui était composée de laïcs — 6000 environ — regroupés en petites confréries. Ils étaient d'une fidélité rigoureuse pour l'observance de la loi, la pratique des lois de pureté et des prescriptions des dîmes. Très attachés aux «traditions des pères» (*Ga* 1,14), les pharisiens d'avant 70 exerçaient sur le peuple une certaine influence. Au plan de la doctrine, ils croyaient que l'histoire du monde avait un but et que Dieu ordonnait les événements en fonction de ce but. La venue d'un Messie, guide et sauveur de son peuple était pour eux le point culminant de l'histoire.

Rm 9-11 prouve que Paul, même devenu chrétien, continuait d'accepter cette perspective, mais en tant que chrétien, il pousse plus loin sa pensée puisqu'il sait que Jésus Christ est venu. Si comme tous les pharisiens Paul croit à la résurrection des morts (*Ac* 23,6-10; 26,6-8), il fonde sa doctrine sur la résurrection de Jésus Christ lui-même (1 *Co* 15,12.20-21).

Paul a-t-il été formé aux pieds de Gamaliel? *Ac* 22,3; 26,4 sont toujours des passages controversés. D'une part, certains critiques comme W.C. van Unnik croient que Paul a reçu dès son enfance une éducation rabbinique à Jérusalem; J. Jeremias en fait même un membre du Sanhédrin en s'appuyant sur *Ac* 26,10 où il est dit que Paul «a incarcéré un grand nombre de saints». D'autre part, les partisans de l'opinion contraire qui voient en Paul un Juif profondément marqué par la grécisation sont nombreux, tels M. Böhlig et R. Bultmann.

Sans adopter ces positions extrêmes, nous pensons qu'il pourrait être possible que Paul ait reçu une certaine formation rabbinique alors qu'il était un jeune homme. Le texte de *Ga* 1,14 laisse entendre cette possibilité. C'est la position de P. Bonnard dans son commentaire de *Galates* (p. 29). Il suit le Père Lagrange contre A. Loisy et voit avec raison dans ce verset une allusion au fait que Paul, jeune homme, avait dû suivre l'enseignement d'une École rabbinique à Jérusalem; les *contemporains* seraient alors ses camarades d'études.

(BONNARD, *Galates*, p. 29)

D'ailleurs, il ne faut pas rejeter trop vite cette hypothèse car la tendance que Paul avait vers une plus grande liberté pourrait bien lui avoir été inspirée par Gamaliel, ce maître extraordinaire, qui «cultivait la philosophie païenne» pour donner à ses élèves une plus grande ouverture d'esprit. (HUGEDÉ, *Saint Paul*, p. 61, note 1).

3. Le persécuteur de la communauté chrétienne

Les débuts de l'Église ont été difficiles. Jésus de Nazareth que les apôtres proclamaient Christ et Messie et en qui les chrétiens avaient foi était un Juif qui avait été condamné par la plus haute autorité juive — le Sanhédrin —. Il n'y a rien de surprenant dans le fait que les pharisiens orthodoxes se soient crus obligés de combattre ce qu'ils considéraient comme une hérésie naissante et que Paul ait été un persécuteur de la foi chrétienne au zèle débordant (cf. *Ga* 1,14). Selon J. Dupont, le christianisme serait apparu à Paul comme une apostasie par rapport à la loi, et la loi chrétienne comme une négation de son idéal.

Donc, Paul a été un persécuteur de la foi chrétienne avant d'en être un adepte et un apôtre, il le reconnaît lui-même:

> Car je suis le plus petit des apôtres, moi qui ne suis pas digne d'être appelé apôtre parce que j'ai persécuté l'Église de Dieu (1 *Co* 15,9).

> Car vous avez entendu parler de mon comportement dans le judaïsme, naguère: avec quelle frénésie je persécutais l'Église de Dieu et je cherchais à la détruire (*Ga* 1,13).

> pour le zèle, persécuteur de l'Église... (*Ph* 3,6).

Voyons maintenant ce qu'en disent les *Actes*. La plupart des auteurs sont d'accord pour voir beaucoup d'exagération dans la présentation des récits des *Actes* (7,58; 8,1-3; 9,1-2; 22,3b; 26,1-11):

30

...des arguments de poids s'opposent à la présentation du livre des Actes selon laquelle Paul a persécuté, à Jérusalem déjà, la communauté primitive...

> Ce qui contredit cette affirmation, de façon non équivoque, est une remarque de *Gal* 1:22, où l'apôtre dit qu'il était inconnu aux communautés de la Judée... Or, cela est tout simplement inimaginable pour un personnage qui aurait joué, dans la persécution des chrétiens, le rôle décisif que Luc lui attribue (*Actes* 24,4ss).   (BORNKAMM, *Paul*, p. 50)

D'ailleurs Paul ne parle jamais dans ses lettres d'éventuelles persécutions auxquelles il se serait livré à Jérusalem. Il a sans doute déployé son activité uniquement au sein des communautés de Damas. Il devait être muni de pouvoirs accordés alors aux autorités des synagogues, par exemple: la déclaration d'anathème, et le droit de flagellation.

Bibliographie choisie pour étudier la vie de Paul avant Damas

ANDRY, C.F., *Paul and the Early Christians*, Dublin, Privit Press, 1978.

BING, J.D., «Tarsus: A Forgotten Colony of Lindos», *JNES* 30 (1971) 99-109.

BORNKAMM, G., *Paul, Apôtre de Jésus Christ*, Genève, Labor et Fides, 1971.

BUCKLEY, T.W., *Apostle to the Nations. The Life and the Letters of St. Paul*, Boston, St. Paul, 1981.

CAMBIER, J., «Paul», dans *SDB* 7 (1962) col. 279-329.

CANTINAT, J., *Vie de saint Paul, apôtre*, Paris, Apostolat des Éditions, 1964.

CERFAUX, L., *L'itinéraire spirituel de saint Paul*, Paris, Cerf, 1966.

COLSON, J., *Paul, apôtre, martyr*, Paris, Seuil, 1971.

COTHENET, E., *Saint Paul en son temps*, CE 26, Paris, Cerf, 1978.

HUGEDÉ, N., *Saint Paul et la culture grecque*, Genève, Labor et Fides, 1966.

RICCIOTTI, G., *Saint Paul*, Paris, R. Laffont, 1952.

SANDERS, J.T., «Paul's Autobiographical Statements in Galatians 1-2», *JBL* 85 (1966) 335-343.

VAN UNNIK, W.C., *Tarsus or Jerusalem. The City of the Youth*, London, Epworth Press, 1962.

IV
L'événement de Damas

Que savons-nous de ce qu'il est convenu de nommer l'événement de Damas ou la conversion de Paul? Beaucoup de choses, mais aussi très peu. Les œuvres qui traitent du sujet sont très nombreuses et leur présentation nous a habitués à l'image classique d'un Paul tombant de son cheval en pleine course alors qu'il allait persécuter les chrétiens de Damas, mais qu'en est-il en réalité?

1. Selon les Actes

Les *Actes* nous donnent trois comptes-rendus de l'événement:

a) En *Ac* 9,1-19, l'auteur raconte l'événement en détail et met beaucoup d'insistance sur le rôle d'Ananie.

b) En *Ac* 22,3-21, le récit est fait à l'occasion d'un long plaidoyer où Paul met en valeur son passé juif et sa mission auprès des païens. Il est aussi question d'Ananie.

c) En *Ac* 26,9-18, le récit est encore fait à l'occasion d'un discours prononcé par Paul. Cette fois, c'est devant le roi Agrippa. L'insistance est mise sur le message reçu du Christ, par Paul et la mission qui s'ensuivit. Ananie n'est pas mentionné.

Ces trois récits présentent plusieurs variantes, par exemple au sujet de la voix entendue par Paul et/ou par le groupe de même que pour la lumière qui a enveloppé Paul et/ou ses compagnons. Mais tous les récits rapportent la phrase «Pourquoi me persécutes-tu»? Elle est la clé pour comprendre la révélation que Paul a reçue : le Christ ressuscité est vivant dans son Église. Elle rejoint le but théologique de l'auteur.

2. Selon les lettres

Paul dans ses lettres rappelle l'événement de Damas à plusieurs reprises, mais curieusement il ne fait pas de longs récits :

a) En *Ga* 1,15 Paul écrit :

Mais lorsque celui qui m'a mis à part depuis le sein de ma mère et m'a appelé par sa grâce, a jugé bon de *révéler* en moi son Fils...

b) En 1 *Co* 9,1 et 15,8-10, il dit simplement :

N'ai-je pas *vu* le Christ?

En tout dernier lieu, il (le Christ) *m'est aussi apparu* à moi l'avorton.

c) Enfin en *Ph* 3,12, il déclare :

...j'ai été *saisi* moi-même par Jésus Christ.

On peut remarquer que Paul dans ses lettres insiste sur la révélation de Dieu, la vision du Christ et le fait que le Christ l'a saisi. Il semble que pour l'apôtre l'événement se soit plutôt passé à l'intérieur de lui-même. Nous reviendrons sur le sujet en parlant de l'interprétation.

3. Les ressemblances entre les Actes et les lettres

a) Les *Actes* tout comme les *lettres* nous présentent un Paul persécuteur de l'Église (*Ac* 9,1-2; 22,3b-5; 26,9-11; 1 *Co* 15,9; *Ga* 1,13.23; *Ph* 3,6).

b) Ils nous parlent d'une christophanie (*Ac* 9,5; 22,7-8; 26,14-18; 1 *Co* 9,1; 15,8).

c) Ils situent l'événement à Damas ou plus exactement en face de Damas (*Ac* 9,3; 22,6; 26,12-13; *Ga* 1,17).

d) Ils voient un lien entre l'événement et l'évangélisation des païens (*Ac* 22,15; 26,16-18; *Ga* 1,16).

4. Les différences entre les Actes et les lettres

a) Des grands discours de *Ac* 22 et 26, il n'y a aucune trace dans les lettres et pourtant en *Ga* 1, Paul défend l'authenticité de son apostolat, il aurait pu alors décrire l'événement avec plus de détails. S'il ne l'a pas fait, il faudrait peut-être supposer que l'événement fut moins spectaculaire que les *Actes* ne le décrivent.

b) La lumière éclatante des *Actes* n'implique pas une vision du Christ en personne alors que dans les lettres Paul est catégorique: en 1 *Co* 9,1 il ne peut être plus précis «N'ai-je pas vu le Christ?», et en 1 *Co* 15,8 il déclare que le Christ lui est apparu de la même façon qu'aux autre privilégiés des apparitions post-pascales.

c) Paul affirme avoir reçu son évangile et son mandat apostolique de Dieu sans aucune médiation humaine (*Ga* 1,11-12). Selon *Ac* 9 et 22 l'Église est intervenue en tant qu'intermédiaire dans la personne d'Ananie.

Ces différences entre les *Actes* et les lettres pauliniennes font surgir une question: «l'auteur des *Actes* peut-il vraiment être un collaborateur de Paul ayant accompagné celui-ci pendant un certain temps?... Cette question complexe... devient à nouveau actuelle (E. Haenchen, H. Conzelmann, G. Klein). ...il faudra que nous cessions de présupposer sans plus que Luc ait été informé directement par Paul de la vision de Damas».

(LOHFINK), *La conversion*, pp. 36-37)

5. L'interprétation de l'événement

On a interprété cet événement de Damas de mille et une manières. Historiens, exégètes, psychologues, psychiatres en ont pesé tous les mots. Ils ont tenté de découvrir les secrets les plus intimes de la conscience de Paul. Certains ont vu dans Paul un exalté, un illuminé, voire un dépressif. Sans aller aussi loin, M. Dibelius et W.C. Kümmel se sont interrogés sur la santé de Paul qui aurait pu le prédisposer à avoir des visions. A. Deissmann — à la suite de beaucoup d'autres — a soutenu la thèse d'un sentiment de culpabilité chez Paul (*Rm* 7,7ss). Face au lourd fardeau de la loi, il aurait pris conscience que la loi était une force négative. E. Hirsch y a vu une expérience spirituelle. H.G. Wood et W. von Loewenich parlent de phénomène intérieur. Ce sont des hypothèses, cependant Paul a été et restera, si on le lit attentivement, un personnage fascinant. Et nous sommes obligés d'admettre que le Pharisien fier et respecté, homme de prestige, droit et sincère, à la foi robuste — on dirait aujourd'hui un homme engagé —n'était sûrement pas un homme brisé lors de sa rencontre avec le Christ. L'événement de Damas a changé le cours de sa vie mais l'homme a gardé son ardeur.

Quel est le vrai sens de l'événement? Pour les uns, c'est le signal de départ pour une action missionnaire. C'est l'opinion de A. Fridrichsen et de A. Bertrangs. Pour d'autres, tel P.H. Menoud, Paul aurait compris le mystère de la croix. A. Feuillet soutient que l'apôtre y a fait la découverte mystique du Christ et de son Église. Le verset «je suis Jésus que tu persécutes» (*Ac* 9,5; 22,8; 26,15) en serait la preuve.

Que s'est-il passé exactement? Nous ne pouvons que faire des conjectures car Paul ne donne aucun détail. Il est clair qu'il a cru en Jésus Christ et qu'il a affirmé que Dieu est intervenu dans sa vie. Il est clair aussi que cette intervention divine a radicalement changé sa conception de la vie de même que son comportement «à cause du Christ» (*Ph* 3,7). Il a interprété l'événement comme «une grâce de Dieu qui a révélé en lui son Fils» (*Ga* 1,16).

En résumé, pour Paul lui-même, Damas c'est:

> le Christ qui se *révèle* (*Ga* 1,16)
> le Christ qui *apparaît* (1 *Co* 15,8)
> le Christ qui *saisit* (*Ph* 3,13)

en vue d'une mission à remplir: annoncer l'Évangile (1 *Co* 1,17).

Pierre Bonnard, dans son commentaire de *Ga* 1,16a explique très bien ce que signifie le mot révélation chez Paul:

> Une révélation est toujours, chez Paul, soit un événement eschatologique marquant les tout derniers jours de l'Histoire, soit une indication de l'Esprit en vue de l'édification de l'Église ou de la prédication de l'évangile. Nous pensons donc que Paul fait ici allusion, certes d'abord, à sa «conversion» devant Damas mais aussi et principalement à tout ce que l'Esprit lui révéla sitôt après, dans l'Église de Damas; *ce que l'Esprit lui révéla en ces premiers jours de sa vie chrétienne, ce fut, d'une*

part, la signification du Christ mort et ressuscité pour le salut des nations et, d'autre part, la part personnelle qui lui était dévolue dans la proclamation de cet Évangile... Cette révélation du Fils de Dieu en Paul fut sans doute la découverte de la messianité et de la résurrection du crucifié; il ne s'agit pas d'une révélation au sens d'une extase mettant Paul en communication avec un Christ purement céleste; *il fut révélé à Paul que le crucifié était maintenant ressuscité.* Cette révélation, d'ailleurs, n'avait pas pour but principal... l'instruction personnelle de l'apôtre, mais son apostolat parmi les nations...

(BONNARD, *Galates*, pp. 30-31)

Bibliographie choisie pour étudier l'événement de Damas

BERTRANGS, A.,   «La vocation des Gentils chez saint Paul», *ETL* 99 (1954) 391-515.

DENIS, A.M.,   «L'élection et la vocation de Paul», *RT* 57 (1957) 405-428.

DENIS, A.M.,   «L'investiture de la fonction apostolique par apocalypse», *RB* 64 (1957) 335-362; 492-515.

DUPONT, J.,   «La révélation du Fils de Dieu en faveur de Pierre et de Paul», *RechSR* 52 (1964) 411-420.

DUPONT, J.,   «La conversion de Paul et son influence sur sa conception du salut par la foi», dans *Foi et salut selon saint Paul*, Rome, Institut Biblique Pontifical, 1970, pp. 67-100.

GAGER, J.G.,   «Some Notes on Paul's Conversion», *NTS* 27 (1981) 697-704.

LÉON-DUFOUR, X.,«Les récits de l'apparition à Paul» dans *Résurrection de Jésus et message pascal*, Paris, Seuil, 1971, pp. 101-119.

LOHFINK, G.,   *La conversion de saint Paul*, Paris, Cerf, 1967.

MENOUD, P.H.,   «Révélation et tradition», dans *Festchrift, E. Haenchen*, Berlin, Töpelmann, 1964, pp. 178-186.

MUNCK, J.,   «La vocation de l'apôtre Paul», *StuTheo* 1 (1947) 131-145.

PROKULSKI, W.,   «The Conversion of St. Paul», *CBQ* 19 (1957) 453-473.

RIGAUX, B.,   *Saint Paul et ses lettres*, Paris, Desclée de Brouwer, 1962, pp. 63-96.

WILSON, S.G.,   *The Gentiles and Gentile Mission in Luke-Acts*, Cambridge, University Press, 1973, pp. 154-170.

V
Après Damas,
la vie apostolique

Après l'événement de Damas, on a très peu d'information sur l'activité missionnaire de Paul pour une longue période de temps. Certains auteurs ont parlé d'années obscures. Les *Actes* signalent une prédication à Damas même et un séjour à Jérusalem marqués déjà par des oppositions de toutes sortes de la part des Juifs (*Ac* 9,19-30; cf. 2 *Co* 11,32-33).

Par contre, *Ac* 11,25-26 nous apprend que Barnabas délégué de Jérusalem à Antioche est allé chercher Paul à Tarse pour «travailler» avec lui «dans cette église». Cet apostolat de Paul à Tarse et à Antioche est confirmé par *Ga* 1,21.

En effet Paul, dans la lettre aux Galates, même s'il est très bref, donne des renseignements précis sur l'après-Damas. On y apprend: qu'il a commencé sa prédication «aussitôt» après la révélation; qu'il est allé à Jérusalem seulement «trois ans après» et qu'il n'y est resté que «quinze jours» pour rencontrer Céphas; qu'il n'a vu «aucun autre apôtre» «sauf Jacques le frère du Seigneur» (*Ga* 1,16-19). On y apprend aussi qu'il s'est rendu en Syrie (Antioche) et en Cilicie (Tarse) pour annoncer la foi (cf. *Ga* 1,21-24).

Mais c'est très peu de renseignements pour une durée d'au moins dix ans soit de 34/35 à 45. Les *Actes* et les *lettres* nous informent plutôt sur les trois voyages missionnaires et les fondations d'églises qui ont commencé entre 45 et 49.

1. Les trois voyages missionnaires des Actes

L'église d'Antioche était un centre de rayonnement important et un pied-à-terre de l'Église primitive. À trois reprises les *Actes* nous racontent un départ de Paul à partir de cette ville pour un voyage missionnaire:

a)   *Premier voyage: Ac* 13,4—14,28 (Entre 45 et 49, avant l'Assemblée de Jérusalem)

Ce premier voyage a été décidé lors d'une assemblée de prière de l'église d'Antioche, sous la mouvance de l'Esprit (*Ac* 13,1-3). Paul est donc le missionnaire de cette église.

Ce voyage a duré deux ou trois ans. Paul et ses deux compagnons Barnabas et Marc ont tout d'abord gagné Chypre. Jusque-là, Barnabas semble avoir été le «leader» du groupe, mais à partir de Chypre, Paul le devient à son tour. À Pergé, Marc a laissé le groupe et Paul et Barnabas se sont dirigés vers Antioche de Pisidie, Iconium, Derbé et Lystre pour annoncer l'Évangile. En arrivant dans une ville, ils allaient à la Synagogue pour s'adresser aux Juifs et aux prosélytes, ensuite ils se présentaient devant les païens.

Cette première mission a connu des succès et des échecs. Dès Iconium, Paul a eu de la contestation de la part des Juifs (*Ac* 14,1-7). À Lystre, il a été lapidé (*Ac* 14,19). En Pisidie, son succès auprès des prosélytes a déclenché une vive opposition de la part des Juifs (*Ac* 13,45) tant et si bien que lui et Barnabas se sont tournés définitivement vers les païens (*Ac* 13,46).

Par rapport à l'implantation de l'Évangile, les résultats de ce voyage ont été positifs. Aussi à leur retour Paul et Barnabas ont réuni l'église pour raconter cette percée de la foi en milieu païen. (*Ac* 14,28)

Mais la mission de Paul posait de plus en plus de problèmes à l'église de Jérusalem. Pour cette église, on le sait, la loi juive était de rigueur: un chrétien même issu du paganisme devait la pratiquer. Or Paul prêchait le salut par la foi. Il était inévitable que des incidents se produisent comme par exemple l'incident d'Antioche rapporté par les *Actes* (15,1-3) et par *Galates* (2,11-14). Au plus fort de la crise une

«Assemblée» s'est tenue à Jérusalem en 48/49 dans le but de régler le différend. Paul et Barnabas accompagnés de Tite s'y sont rendus. Les *Actes* placent cette Assemblée après le conflit d'Antioche (*Ac* 15,5-29). En *Ga* 2,1-10 Paul parle plutôt d'une rencontre avec les autorités de l'Église et selon *Ga* 2,11-14 l'incident aurait eu lieu après l'Assemblée. Ce n'est pas notre propos de discuter de ce problème complexe qui touche à la fois l'interprétation des *Actes* et de la *lettre aux Galates.*

b) Deuxième voyage: Ac 15,36—18,23 (entre 49/50-52)

Au retour de l'assemblée de Jérusalem Paul et Barnabas sont restés de nouveau quelque temps à Antioche, pour enseigner la «bonne nouvelle de la parole du Seigneur» (*Ac* 15,35). Puis ils décidèrent d'aller visiter les églises fondées précédemment en Asie Mineure.

Ce voyage a conduit Paul jusqu'en Grèce. Il a visité les églises qu'il avait fondées, puis il est passé par la Macédoine et il a fait un séjour à Philippes (*Ac* 15,36—16,11; *Ac* 16,12-40). À Thessalonique (*Ac* 17,1-9) il a fondé une nouvelle communauté puis s'est dirigé vers Athènes. Là, ce fut l'échec cuisant: son message de résurrection n'a pas passé. Il a été forcé de partir pour Corinthe où il a organisé une autre communauté qui occupera une grande place dans sa vie (*Ac* 18,1-18). Après un long séjour d'un an et demi dans cette ville, il poursuivit son voyage et enfin descendit à Antioche (*Ac* 18,18b—23a).

Le bilan de ce voyage est aussi positif: fondation d'églises jusqu'en Grèce; communautés chrétiennes de Macédoine et d'Achaïe bien organisées pour lesquelles Paul gardera une affection particulière.

L'Évangile l'emporte de plus en plus. Contre une telle force, que peuvent les échecs auprès des Juifs, les coups, les procès? Tout cela ne compte plus... Paul lui-même l'écrira à maintes reprises dans ses lettres.

c) Troisième voyage: Ac 18,23—21,16 (de 52 à 58)

Durant le troisième voyage, Paul a visité les églises de Galatie et de Phrygie (*Ac* 18,23). Après avoir passé par le haut du pays, il est arrivé à Ephèse où il est demeuré plus de deux ans. Nous avons peu de détails sur ce séjour. Les *Actes* racontent des épisodes particuliers, mais restent silencieux pour le reste du temps. Et c'est la fin. Ce voyage se confond avec un autre voyage à Jérusalem que Paul a effectué dans le but de porter la collecte à l'église des saints (*Ac* 24,17).

Ce voyage est dominé par plusieurs annonces de la captivité de l'apôtre, captivité qui semble imminente. Paul fait ses adieux à Milet (*Ac* 20,22-25). À Tyr, les disciples lui demandent de ne pas monter à Jérusalem (*Ac* 21,4). À Césarée, le prophète Agabus décrit d'une manière symbolique le sort qui est réservé à Paul (*Ac* 21,10-11). Mais Paul est inflexible, malgré les supplications des disciples, il poursuit son voyage et arrive à Jérusalem où les frères lui font bon accueil (*Ac* 21,17-26). Mais il sera arrêté (*Ac* 21,27-40).

Paul est essentiellement un missionnaire, un fondateur d'églises. Lorsqu'en 1 *Co* 1,17 il écrit: «Christ ne m'a pas envoyé baptiser mais annoncer l'Évangile» ou encore en *Ga* 1,16: «Dieu a jugé bon de révéler en moi son Fils afin que je l'annonce aux païens», Paul trace son vrai portrait. Il résume alors toute sa vie et toute sa mission. Le monde alors connu a été le lieu de son apostolat.

2. Les relations avec ses églises

Les relations de Paul et de ses communautés sont d'une qualité exceptionnelle. En tant qu'apôtre, il est conscient qu'il détient une responsabilité envers les églises qu'il a fondées et le message d'évangile dont il est porteur. Cette responsabilité lui donne des pouvoirs certes, mais elle lui dicte surtout des devoirs qui déterminent son comportement. S'il affirme avec vigueur son autorité, c'est avec une profonde tendresse qu'il s'adresse aux membres de ses églises.

Il se considère comme le père de l'église de Corinthe:

> vous n'avez pas plusieurs pères, c'est moi qui, par l'Évangile, vous ai engendrés en Jésus Christ (1 *Co* 4,15).

Les Corinthiens sont ses enfants bien-aimés (1 *Co* 4,14) et son cœur leur est grand ouvert (2 *Co* 6,11-13). Même dans les larmes, Paul tient à ce qu'ils sachent l'amour débordant qu'il leur porte (2 *Co* 2,4).

Non seulement il les aime, mais il doit en conséquence les avertir, les éduquer et les corriger (1 *Co* 4,14). Il peut leur demander d'imiter sa conduite (nous reviendrons sur cette idée d'imitation). Il a le droit de s'informer de leur façon de vivre le message qu'il leur a enseigné. C'est ainsi qu'il leur envoie Timothée pour leur rappeler cet enseignement avant d'aller lui-même se rendre compte de leurs actions (1 *Co* 4,17-20). Toujours il s'efforce de provoquer une prise de conscience, mais ce sera aux chrétiens de décider par leur propre conduite de son comportement (1 *Co* 4,21). Comme il veut que ses chrétiens soient fidèles aux traditions, il est exigeant et parfois sévère lorsque ses avertissements ne produisent pas d'effet (1 *Co* 5,3). Un père n'aime pas avoir honte de ses enfants ni être humilié à cause de leur conduite (2 *Co* 12,21). Un père n'exige aucun salaire en retour de ce qu'il fait (1 *Co* 9,4-18) car ce n'est pas aux enfants à thésauriser pour les parents (2 *Co* 2,14).

Aux Thessaloniciens et aux Galates à qui il donne aussi le nom d'enfants (1 *Th* 2,7.11; *Ga* 4,19), il exprime ses sentiments en empruntant les mots affectueux d'une mère:

> Nous avons été au milieu de vous pleins de douceur, comme une mère réchauffe sur son sein les enfants qu'elle nourrit. Nous avons pour vous une telle affection que nous étions prêts à vous donner non seulement l'Évangile de Dieu, mais même notre vie tant vous nous étiez devenus chers (1 *Th* 2,7-8).

> Mes petits enfants que dans la douleur j'enfante à nouveau jusqu'à ce que le Christ soit formé en vous. Oh! je voudrais être auprès de vous en ce moment pour trouver le ton qui convient car je ne sais comment m'y prendre avec vous (*Ga* 4,19-20).

Cette relation père/enfant et mère/enfant est présente très souvent dans ses lettres. Il est clair que le fait d'avoir fondé ces églises crée chez Paul un lien très fort, un attachement viscéral. Et parler de l'amour de Paul pour ses communautés nécessiterait de longs développements. Cet amour est tellement grand que toutes les souffrances qu'il a subies s'effacent devant la préoccupation quotidienne qui l'habite: le souci de toutes les églises (2 *Co* 11,28).

Comment interpréter cette image de la paternité et de la maternité que Paul utilise pour décrire ses relations avec ses églises? Avons-nous le droit de n'y voir qu'une simple métaphore ou y a-t-il quelque chose de plus? La majorité des exégètes considèrent la prédication de l'Évangile comme la source d'une véritable relation père/enfant, mère/enfant. Mais alors Paul est-il un innovateur en employant cette image ou bien existait-elle déjà? Elle existait dans toutes les littératures orientales, mais Paul l'a vraiment exploitée à fond.

Dans l'Ancien Testament l'image de la paternité revient fréquemment (*Gn* 45,8; *2 R* 2,12; *1 S* 24,12) et l'enseignement ou la parole prophétique était dotée d'efficacité (*Is* 55,10-11; *Jr* 15,19). Les Sages recourent souvent à l'image du fils (*Pr* 1,8; 2,1; *Si* 2,1; 3,2.17...).

On retrouve aussi l'idée de paternité (au sens figuré) dans la littérature hellénistique et dans le rabbinisme. En résumé on peut dire que dans le monde sémite en général le rôle du père est celui d'un éducateur, une relation d'enseignant/enseigné s'établit. Dans le monde grec et le judaïsme tardif la comparaison illustre le rapport maître/disciple.

Paul a donc puisé cette notion de la paternité dans le terreau vétéro-testamentaire et dans le passé oriental rempli de sagesse. Mais il l'a exploitée à fond et lui a donné une dimension et une portée insoupçonnée jusqu'alors. Il s'est perçu, lui, Paul, comme le père qui engendre ses enfants bien-aimés; la mère qui enfante et réchauffe sur son sein les enfants qu'elle nourrit. Cet engendrement et cet enfantement se font par l'Évangile.

Paul a vraiment mis au monde des chrétiens, en leur donnant la vie de foi «en Christ». Ambassadeur de Dieu, au nom du Christ, porteur du germe de la Parole, par lui, Dieu interpelle ses auditeurs et l'apôtre établit en quelque sorte le dialogue inaugural entre Dieu et le croyant.

3. **Son souci pastoral: l'organisation de la grande collecte**

Paul s'est aussi soucié des autres églises en particulier de l'église de Jérusalem. Les *Actes* des Apôtres et les lettres de Paul font mention d'une ou de plusieurs collectes dans les communautés chrétiennes de l'époque de Paul en faveur de l'église de Jérusalem. Cette église a toujours vécu dans un état précaire dont elle n'a jamais réussi à se relever d'ailleurs.

Dans ses lettres Paul parle d'une collecte qu'il a organisée en faveur des «saints» de Jérusalem (1 *Co* 16,1-4; 2 *Co* 8-9; *Rm* 15,25-27.31). Les *Actes* de leur côté font mention d'une contribution envoyée aux frères de Judée (*Ac* 11,29-30) et d'aumônes apportées par Paul à son peuple (*Ac* 24,17). Les *Actes* distinguent donc deux collectes: la première décidée par l'église d'Antioche et confiée aux mains de Barnabas et de Saul au moment de la famine de 48/49; pour la seconde, ils ne donnent aucun détail. Cependant les exégètes croient qu'il est question de la collecte organisée par Paul lui-même et à laquelle *Ac* 24,17 ferait allusion.

On peut se demander pourquoi Paul a-t-il mis sur pied un tel rassemblement de fonds et pourquoi il en parle tant? Les raisons sont multiples, mais elles répondent toutes à une demande initiale faite par Jacques, Céphas et Jean (*Ga* 2,9-10) à la suite de l'accord de Jérusalem : l'apostolat de Paul auprès des païens était reconnu, mais en retour il devait se souvenir des pauvres, ce que Paul a eu soin de faire.

La collecte organisée par Paul a été une grande entreprise réalisée dans un but de charité, mais aussi dans un but «politique»: faire l'unité de l'Église. Les pagano-chrétiens en donnant de leurs biens aux «saints» de Jérusalem démontraient ainsi qu'ils comprenaient «la lettre et l'esprit de l'Évangile tout aussi bien qu'eux». Paul s'y révèle un organisateur-né.

Sa préoccupation est d'assurer la spontanéité des dons et de garantir la sécurité de leur livraison. Les débuts de la collecte avaient été prometteurs, mais devant un enthousiasme refroidi, semble-t-il, Paul enverra Tite et deux frères (2 *Co* 8,6.18.22) afin de réchauffer ses troupes. Quelqu'un a dit que la collecte était «le chef-d'œuvre pastoral de Paul» et c'est vrai. On y découvre un sens de l'organisation extraordinaire; un sens du partage chrétien. Aussi une réflexion théologique profonde sur l'offrande non seulement des biens matériels, mais aussi de soi-même (2 *Co* 8,3-5). Paul sait présenter la collecte comme un service mais aussi comme une source d'action de grâce (2 *Co* 9,12).

Il semble que Paul se soit servi de ce moyen pour tester la sincérité des Corinthiens (2 *Co* 8,8). Pour les stimuler il propose l'imitation du

Christ (2 *Co* 8,9). Mais il respecte la liberté de chacun (2 *Co* 8,13) tout en faisant miroiter les avantages spirituels (2 *Co* 9,6-15).

La grande collecte a donc été organisée par Paul pour la gloire de Dieu dans un grand esprit de solidarité chrétienne. Mais qu'est-il advenu de cette entreprise colossale? Les lettres ne révèlent rien; seul le passage d'*Ac* 24,17 laisse entendre que l'argent s'est rendu à Jérusalem:

> Au bout de bien des années, je suis venu apporter des aumônes à mon peuple...

À qui l'argent a-t-il été remis? Dans quelles mains s'est-il retrouvé après l'arrestation de Paul (*Ac* 21,33)? C'est une autre histoire, l'auteur des *Actes* se tait et Paul de même. Dernièrement J.D.G. Dunn a avancé l'hypothèse que l'église de Jérusalem l'aurait refusé (*Unity and Diversity in N.T.*, London, 1977, pp. 256ss). Mais cette position est sans fondement.

Quoiqu'il en soit, tous les détails que nous avons sur cette collecte par les lettres de l'apôtre nous font découvrir un Paul «engagé» qui n'a qu'un but: maintenir l'unité de la foi et de l'amour entre les chrétiens des deux grandes nations du monde, les Juifs et les païens. Et cette collecte montre déjà l'esprit œcuménique de l'Église.

4. La captivité et la mort

Le mystère le plus total enveloppe la dernière période de la vie de Paul. Le récit des *Actes* s'arrête brusquement en disant que Paul a vécu à Rome deux ans en liberté surveillée, tout en continuant son apostolat (*Ac* 28,30-31). Pour reconstituer la fin de la carrière de Paul, nous n'avons que des sources fragmentaires dont l'authenticité est discutée (les lettres pastorales et la première lettre de Clément, de même que le canon de Muratori). L'apôtre selon ces sources serait mort martyr, ce que laisse présager *Ac* 20,22-25 (à comparer avec 21,13).

Une hypothèse admise par plusieurs historiens affirme que la captivité décrite en *Ac* 28,30 s'est terminée par la libération de Paul. Trois indices s'accordent avec cette hypothèse:

a) le procès de Paul devant les officiers romains à Jérusalem et à Césarée (*Ac* 23,29; 25,18.25; 26,31-32) aurait prouvé que sa cause était excellente. Impossible donc de s'attendre à une condamnation à mort;

b) le genre d'emprisonnement que Paul a subi à Rome — en résidence surveillée — (*Ac* 28,30) ne permet pas de supposer un dénouement fatal et la peine capitale;

c) enfin les passages des *Pastorales* reconnus comme authentiques ne peuvent convenir à aucun des moments de la carrière de Paul avant sa captivité romaine.

Paul aurait-il réalisé son rêve d'aller évangéliser l'Espagne (*Rm* 15,24)? Clément de Rome et le canon de Muratori le supposent. De plus certains passages de *Tite* et de *Timothée* laissent entendre que Paul aurait voyagé après son premier emprisonnement (1 *Tm* 1,3; 2 *Tm* 4,13.20; *Tt* 1,5; 3,12) avant d'être de nouveau arrêté et de subir un deuxième emprisonnement (2 *Tm* 4,16-18). La tradition chrétienne a relié son martyre à celui de Pierre sous la persécution de Néron (64-68).

Bibliographie de choix où l'étudiant trouvera plus de documentation

— *Voyages missionnaires*

CAMPBELL, T.H., «Paul's Missionary Journeys as Reflected in His Letters» *JBL* 74 (1955) 80-87.

DAVIES, P.E., «The Macedonian Scene of Paul Journeys», *BA* 26 (1963) 91-106.

METZGER, H., *Les routes de saint Paul dans l'Orient grec,* Neuchâtel-Paris, Delachaux & Niestlé, 1954.

— *Les relations avec ses églises*

GUTIERREZ, G., *La paternité spirituelle selon saint Paul,* Paris, Gabalda, 1968.

SAILLARD, M., «C'est moi qui par l'Évangile vous ai enfantés dans le Christ Jésus», *RechSR* 56 (1958) 5-40.

GAROFALO, S., «Un chef-d'œuvre pastoral de Paul: la collecte», dans L. de Lorenzi, *Paul de Tarse, apôtre de notre temps*, Rome, Abbaye de St-Paul-Hors-les-Murs, 1979, pp. 575-593.

VI
Paul et le monde juif

1. Le Juif de la Diaspora

Paul lui-même nous fait part dans ses lettres de son ascendance juive:

> Nous sommes, nous, Juifs de naissance... (*Ga* 2,15) circoncis le huitième jour, de la race d'Israël, de la tribu de Benjamin, Hébreu, fils d'Hébreu et pour la loi, Pharisien (*Ph* 3,4-5; cf. *Ga* 1,13-14; *Rm* 11,1; 2 *Co* 11,22).

Même s'il décline ses titres à l'intérieur d'une auto-défense souvent emportée et agressive, et que certains éléments peuvent être discutés, par exemple «Hébreu, fils d'Hébreu» à cause de l'origine archaïque de l'expression et de son sens stéréotypé, il n'en reste pas moins que Paul était un Juif de la Diaspora et un pharisien en plus.

Malgré l'influence grecque — que nous étudierons plus loin — il a toujours gardé au fond de lui-même le trésor de la foi juive, trésor millénaire, et même après l'événement de Damas qui lui a révélé le Christ, il est resté attaché à son peuple. Des passages de la lettre aux Romains nous présentent un Paul qui prie pour ses frères, les Juifs. Il ne désespère pas de leur salut (*Rm* 11,1): l'incrédulité d'Israël n'est que partielle puisque plusieurs sont devenus chrétiens et elle n'est que temporaire (*Rm* 11,15). Un jour, les Juifs comprendront à leur tour (*Rm* 11,26).

Paul est bien enraciné dans le milieu juif et dans la culture juive, cependant il faut tenir compte que le judaïsme du premier siècle était en pleine mutation. Il n'est pas facile de décrire la diversité de la pensée juive à cette époque. Des sectes nombreuses existaient et même si toutes se réclamaient de la Torah et du Dieu de l'Alliance, des différences notables les distinguaient.

Au plan linguistique, il faut faire la distinction entre la Diaspora orientale, où l'usage de l'araméen était courant et la Diaspora occidentale où la «koinè» était la langue populaire. La Palestine se trouvait au milieu de ces deux courants. Et bien qu'on y parlât l'araméen et l'hébreu, la culture et la langue grecques exerçaient déjà une influence réelle. Ainsi Paul, en plus de la langue populaire parlait «hébreu» (probablement l'araméen):

> Paul, debout sur les marches (du Temple) fit signe de la main au peuple. Un grand silence s'établit et il leur adressa la parole en langue hébraïque (*Ac* 21,40).

2. La loi et l'Ancien Testament

En tant que pharisien Paul était un Juif rigoureux. Très souvent on lui a prêté des sentiments et des pensées antilégalistes d'une façon exagérée, mais il faudrait peut-être examiner plus à fond ses exposés sur la foi et la loi. Beaucoup de ses lettres nous font part des controverses qu'il a eues avec les judéo-chrétiens de même que certains passages des *Actes* rendent compte de son rejet de la synagogue. Cependant il faudrait savoir qu'à l'époque, les résistances du monde juif étaient normales face à l'envahissement de toutes les sectes.

On a accusé Paul d'avoir trahi la loi sacrée de la circoncision, mais a-t-il jamais demandé aux Juifs de ne pas se faire circoncire? Au contraire, il a lui-même circoncis son collaborateur Timothée, fils d'une Juive et d'un Gentil (*Ac* 16,3). Ce qu'il n'a pas trouvé raisonnable, c'est d'imposer cette loi aux païens convertis. C'était sagesse de sa part, autrement il aurait fallu être juif d'abord et ensuite chrétien. Nulle part dans les lettres ou dans les *Actes,* il est dit que Paul n'a pas observé la loi juive. Et lors de son arrestation à Jérusalem, il était au Temple pour les rites de purification avant l'offrande (*Ac* 21,26).

Paul est le premier à nommer l'Écriture «Ancien Testament» (2 Co 3,14) et ses lettres foisonnent de citations qu'il puise dans la *Septante.* Il a compris que le Christ était venu accomplir la promesse et il voit l'histoire de son peuple comme le fondement de toute évangélisation. Avec lui le christianisme est dans la continuation de cette histoire extraordinaire du salut qui a commencé avec Abraham, qui s'est réalisée en Jésus Christ et qui se poursuit dans l'Église jusqu'à l'eschatologie.

On peut remarquer chez Paul, selon Béda Rigaux, trois façons d'utiliser l'Ancien Testament:

— les citations proprement dites
— l'emploi des citations
— l'exégèse elle-même.

Les citations explicites étant facilement repérables, nous expliquerons seulement les deux derniers points. Dans sa foi au Christ, Paul scrute l'Écriture pour y découvrir l'annonce de sa venue, le signe de sa présence. Moïse devient ainsi la figure du Christ; la nuée d'*Ex* 13,21 et le passage de la Mer Rouge d'*Ex* 14,24 sont des figures du baptême... Il voit dans la manne d'*Ex* 16,14-35 et dans l'eau du rocher d'*Ex* 17,5-6 des figures de l'eucharistie (1 *Co* 10,1-4). Il s'inspire des prophéties de *Jr* 31,31-34 et d'*Ez* 36,26 relatives à la nouvelle alliance pour expliquer la supériorité de son ministère comparé à celui de Moïse. Dans tous ces cas, les citations ne sont pas textuelles, mais elles sont là en filigrane et elles courent tout au long des versets.

Quant à l'exégèse paulinienne, elle n'est pas *une,* elle est d'abord rabbinique. Elle s'inspire des Targums, du Talmud et des Midrashim. Paul a adapté les méthodes rabbiniques à sa manière innovatrice de voir les choses: pour lui, tout esclavage est aboli, donc dépassé, même celui de la «lettre», aussi il a interprété l'Ancien Testament à partir du mystère du Christ. Son exégèse est essentiellement christologique. Comme méthode, il a utilisé la typologie et l'allégorie.

3. La contestation judéo-chrétienne

La contestation par des adversaires de tout acabit a été le pain quotidien de Paul. Les Juifs (non convertis à la foi chrétienne) et les judéo-chrétiens ont été, semble-t-il, ceux qui ont le plus contrecarré son apostolat: les premiers ne lui ont pas pardonné son intégration au christianisme, ils l'ont considéré comme un renégat; les seconds lui ont reproché sa grande liberté face à la loi et «aux traditions des pères».

À l'époque, plusieurs formes de judéo-christianisme côtoyaient des tendances diverses inspirées des groupes pagano-chrétiens. Dans le monde en mutation du premier siècle, les églises chrétiennes étaient loin d'être unifiées et elles se diversifiaient de plus en plus au fur et à mesure que l'évangélisation pénétrait plus avant dans les grandes villes de l'Empire. Recentrer la pensée chrétienne n'était pas une mince tâche; la débarrasser de la gangue du judaïsme tardif n'était pas non plus une opération facile.

Paul a su accomplir cette unification par sa fougue apostolique, par sa fidélité au message authentique de l'Évangile et par son sens de l'adaptation. Mais cela ne s'est pas fait sans heurts et sans oppositions. Chacune de ses lettres contient plus ou moins de traces de sa vive polémique contre ses adversaires.

Ce problème de la contestation paulinienne est toujours à l'étude. Les exégètes essayent de découvrir l'identité des contestataires car ils semblent se manifester sous des dehors différents selon les mentalités des églises. Ce n'est pas le lieu, ici, de développer ce sujet mais nous devons au moins donner quelques jalons qui pourraient susciter le goût d'une recherche en ce sens:

a) La plus ancienne lettre de Paul nous montre que les chrétiens ont souffert de la part des Juifs, leurs compatriotes, (cf. 1 *Th* 2,14-15) et en 2 *Th* 2,2 Paul est déjà aux prises avec la possibilité d'une falsification de son enseignement: «une lettre présentée comme venant de nous».

b) À Corinthe, l'église est divisée de l'intérieur par les «partis» (1 *Co* 1-4) mais il y a aussi l'offenseur (2 *Co* 7,12) et les «super-apôtres» (2 *Co* 11,5) qui sont à l'œuvre aussitôt après le départ de Paul. Le premier n'est pas facile à identifier; les seconds sont probablement des judéo-chrétiens, ministes du Christ (2 *Co* 11,25). La deuxième lettre aux Corinthiens est tout entière rédigée par Paul dans le but de défendre son apostolat. Il y fait sa propre apologie avec beaucoup de passion. Très souvent même la colère l'emporte.

c) L'église de Philippes a été aussi le théâtre de luttes pour la foi. Les «opposants d'origine juive ou en relation avec le judaïsme» (*Ph* 3-4) sont à l'œuvre. Paul ne les ménagera pas. Il avertira ses chrétiens de ne pas se laisser berner par de tels apôtres:

Prenez garde aux chiens! Prenez garde aux mauvais ouvriers!
Prenez garde aux faux circoncis!

d) Enfin la lettre aux Galates nous montre une église en pleine crise. Les agitateurs prêchent «un autre Évangile» et «jettent le trouble» parmi les chrétiens (*Ga* 1,7-8). De plus ils contestent l'authenticité de l'apostolat paulinien. Ils sapent l'autorité de l'apôtre et ils font tout pour les détacher de lui. Ils font miroiter à leurs yeux la possibilité d'une plus grande sainteté en acceptant la circoncision.

Qui sont ces agitateurs? Ils pourraient être des chrétiens d'origine juive hellénisée pour lesquels la circoncision est un sujet de discussion. Ils pourraient être d'anciens païens devenus prosélytes juifs avant d'avoir été baptisés. Quoi qu'il en soit ces judaïsants sont des partisans farouches du judaïsme et ils veulent resserrer les liens avec cette religion alors que Paul prêche la liberté chrétienne.

Le ministère apostolique de Paul n'a pas été de tout repos et beaucoup de ses souffrances lui sont venues justement des Juifs. Quand Paul parle de flagellation (2 *Co* 11,24), de lapidation et de tous les autres dangers auxquels il a été exposé (2 *Co* 11,25-26) il fait référence aux sévices que ces adversaires lui ont fait subir. À cela il faudrait ajouter les nombreuses captivités qui ont marqué sa vie d'apôtre. Ils étaient pour ainsi dire attachés à ses pas et sans cesse ils l'ont harcelé sans lui laisser aucun répit. Cependant il faut reconnaître que ces groupes adverses n'étaient pas l'ensemble de la communauté juive, puisqu'en définitive beaucoup de chrétiens étaient comme Paul des Juifs convertis (2 *Co* 3,16) qui comprenaient le vrai sens du message de la libération chrétienne prêchée par lui.

4. Paul et Qumrân

Enfin, toujours à l'intérieur du judaïsme, une dernière question se pose: Paul a-t-il pu être influencé par les écrits de Qumrân? Depuis la découverte des manuscrits de la Mer Morte, ce problème est étudié. Et les critiques recherchent des affinités entre les écrits pauliniens et les écrits retrouvés à la Mer Morte. Un des exemples cités qui sert de preuve à cette hypothèse est 2 *Co* 6,14—7,1 et cette position est suivie par E. Schweizer, H. Braun, J.A. Fitzmyer, J. Gnilka, D. Georgi, B. Gärtner On a aussi soutenu que les croyances combattues par Paul en *Col*

51

2,16-17 pourraient avoir un certain rapport avec la tradition qumrân-nienne. Cette question de l'influence qumrânnienne sur Paul est toujours ouverte et jusqu'à ce jour plusieurs passages pauliniens ont reçu un nouvel éclairage, par exemple les antithèses «chair/esprit et justice/grâce».

5. Son rôle-clé

Paul a su faire une synthèse admirable de la foi — la foi de ses pères et la foi en Christ. Ses lettres sont des documents exceptionnels et son œuvre missionnaire a été unique. Evidemment il a joué un rôle-clé dans la rupture entre la religion juive et la religion chrétienne. Mais les prédicateurs «judaïsants» — les super-apôtres (2 Co 11,5; 12,11) —ont eux aussi leur part de responsabilité. S'ils avaient été moins intransigeants, le ton de Paul aurait été probablement plus conciliant. Lorsqu'ils sapaient la doctrine du salut et de la liberté en faisant miroiter aux yeux des pagano-chrétiens une plus grande sainteté s'ils pratiquaient la loi juive, Paul ne pouvait pas ne pas exploser. Aussi faut-il reconnaître qu'il s'est posé les bonnes questions au bon moment: le christianisme demeurerait-il une secte juive ou bien deviendrait-il une religion universelle? Devait-il se libérer de l'emprise de la religion juive pour devenir autonome ou continuer à se développer à l'intérieur du judaïsme? En définitive, fallait-il couper le cordon ombilical afin de lui permettre de mieux se développer? Questions brûlantes auxquelles il fallait donner une réponse claire.

Bibliographie pour mieux comprendre l'influence de la religion juive sur Paul

BONSIRVEN, J., *Exégèse rabbinique et exégèse paulinienne*, Paris, Beauchesne, 1939.

BRING, R., «Paul and the Old Testament», *StuTheo* 25 (1971) 21-60.

DAVIES, W.D., *Paul and Rabbinic Judaism*, Londres, S.P.C.K., 1965.

DAVIES, W.D.,   «Paul and the Dead Sea Scrolls: Flesh and Spirit», dans *The Scrolls and the New Testament,* New York, Harper and Brothers, 1957.

DAVIES, W.D.,
FINKELSTEIN, L.,   *The Cambridge History of Judaism,* Cambridge, Cambridge University Press, 1975.

DAVIES, W.D.,   *Jewish and Pauline Studies,* Philadelphie, Fortress Press, 1983.

DUPONT, J.,   *Gnosis: La connaissance religieuse dans les épîtres de saint Paul,* Louvain, Nauwelaerts, 1980.

ELLIS, E.E.,   *Paul's Use of the Old Testament,* Grand Rapids, Baker, 1981.

HENGEL, M.,   *Judaism and Hellenism,* Philadelphie, Fortress Press, 1974.

KOCH, K.,   *The Rediscovery of Apocalyptic,* London, SCM Press, 1970.

LAMBRECHT, J.,   «L'attitude de Paul devant l'héritage spirituel judaïque», *Questions liturgiques Louvain* 61 (1980) 195-210.

SANDERS, E.P.,   *Paul and Palestinian Judaism. A Companion of Patterns of Religion,* Philadelphie, Fortress Press, 1977.

SANDERS, E.P.,   *Paul, the Law and the Jewish People,* Philadelphie, Fortress Press, 1983.

SCHOEPS, H.J.,   *Paul. The Theology of the Apostle in the Light of Jewish Religious History,* Philadelphie, Westminster, 1979.

SIMON, M.,
BENOÎT, A.,   *Le judaïsme et le christianisme antique.* Paris, Seuil, 1968.

VAN UNNIK, W.C.,   *Tarsus or Jerusalem. The City of Paul's Youth,* London, Epworth Press, 1962.

VII
Paul et le monde grec

1. L'influence hellénistique

Tout Juif qu'il était, Paul n'en était pas moins renseigné sur les notions essentielles de la pensée helléniste. Il n'aurait pas pu retenir l'attention du monde gréco-romain imbu des spéculations philosophiques s'il avait été incapable d'opposer à la sagesse de l'époque une sagesse supérieure qu'il nomme paradoxalement «folie» — la parole de la croix — (cf. 1 *Co* 1,18-25). Sa prédication a été à la mesure des hommes à qui il s'adressait. Sa conception de Dieu s'est élargie et spiritualisée. Le Dieu Père qui veillait sur son peuple et qui dans la *Septante* était devenu le Dieu providence deviendra le Dieu Père de Notre Seigneur Jésus Christ (*Ep* 1,3) et l'Esprit venu de Dieu par le Fils habitera dans les chrétiens (1 *Co* 6,19; 12,13).

Dans l'histoire de l'exégèse paulinienne, on a longuement discuté de l'influence hellénistique sur la pensée de Paul même si dans ses lettres il n'affirme nulle part une telle influence.

Au milieu du 19e siècle, F.C. Baur (suivi de C.F. Heinrici et de plusieurs disciples) a discerné l'influence grecque sur l'éthique paulinienne. Il a fait par exemple le rapprochement entre l'antithèse «chair/esprit» — étrangère à l'anthropologie juive — et les théories platoniciennes. Il n'en fallait pas plus pour poser la question de l'influence possible de la culture hellénistique sur la littérature paulinienne et du même coup tracer la ligne des futures recherches exégétiques sur les lettres pauliniennes.

54

H. Vollmer et C. Grafe ont confronté d'une façon minutieuse les citations bibliques faites par Paul avec le texte de la *Septante*. Ils sont arrivés à la conclusion que l'apôtre s'était servi de cette version de l'Écriture presqu'exclusivement. O. Holtzmann à son tour déclara que Paul était un Juif hellénisé de la Diaspora et que ses lettres étaient marquées par le style et la pensée grecs.

Avec les découvertes archéologiques et la mise à jour des papyrus égyptiens, des conclusions précises ont été rendues possibles. A. Deissmann après avoir comparé le grec des lettres pauliniennes avec le grec des manuscrits de la même époque a montré que les nombreux hébraïsmes avaient des équivalents dans les formules populaires et il en a conclu que Paul parlait et écrivait la langue en usage à l'époque — la *koinè* —.

De plus, P. Wendland et R. Bultmann ont retracé dans les lettres pauliniennes les procédés d'argumentation des philosophes grecs stoïciens et cyniques. Comme eux Paul affectionne particulièrement la diatribe.

Aux alentours du 20e siècle et jusqu'en 1930, l'hypothèse de l'influence hellénistique sur Paul est de plus en plus à la mode. En France, E. Havet a fait une étude sur «Le christianisme et ses origines» et il a conclu que ces origines étaient beaucoup plus grecques que juives. En Angleterre, seul W. Ramsay soutient l'hypothèse d'une formation grecque-orientale de Paul.

Aujourd'hui la majorité des critiques modernes reconnaissent l'influence de la culture hellénistique sur Paul. Cette influence explique certains passages de ses lettres:

— la citation d'un poète grec (1 *Co* 15,33);
— l'utilisation de certaines métaphores (1 *Co* 9,24-27; 1 *Co* 12,12ss);
— l'emploi de l'antithèse et de la diatribe (*Rm* 2,1-20; 3,1-10; 9,19-20);
— son vocabulaire emprunté au stoïcisme: *conscience* (1 *Co* 10,25-29...); *liberté* (*Ga* 4,22...); *vertu* (*Ph* 4, 8...); *raison, intelligence* (1 *Co* 14,14-15...).

55

Tous ces exemples et bien d'autres nous montrent comment Paul a été un pédagogue extraordinaire pour mettre son évangile à la portée des païens. Il a su présenter le message chrétien et en faire un message universel.

2. Les religions à mystère

Paul s'est aussi attaqué aux puissances — ces divinités intermédiaires — qui jouaient un rôle important dans les religions à mystères. À plusieurs reprises il montre dans ses lettres que ces puissances sont les ennemies du Christ, qu'elles ont été ou qu'elles seront vaincues par lui (*Col* 2,15), mais hélas! qu'elles sont encore assez fortes pour séduire les hommes (1 *Co* 15,22-25; 8,5; 10,20-22).

On sait qu'au temps de Paul, il y avait beaucoup de cultes étranges appelés «religions à mystère». Certaines étaient en quelque sorte un mélange des religions orientales et du judaïsme auxquels s'ajoutaient des idées religieuses de l'Égypte, de la Grèce et de Rome.

Il y a bien certaines ressemblances entre les religions à mystère et le christianisme :

— un salut est offert aux adeptes
— un rite d'initiation est nécessaire
— le titre de Seigneur est donné à un dieu sauveur

Ces ressemblances ont conduit R. Reitzenstein et A. Loisy à voir dans la doctrine de Paul une sorte de traduction de l'Évangile palestinien en «mystère-oriental» pour permettre au message de pénétrer dans le monde gréco-romain. La polémique a été de plus en plus violente et le conflit s'est envenimé entre l'Église et les historiens. Mais aujourd'hui le jugement des critiques est plus nuancé. On reconnaît que Paul a pu se servir du langage de ces religions pour se faire mieux comprendre des chrétiens de son temps. Cependant il faut ajouter que :

— si les religions à mystère étaient toujours prêtes à se combiner à d'autres religions, le christianisme, lui, était convaincu d'avoir seul la vérité;

— le titre de Seigneur donné à Jésus, vient de l'Ancien Testament;

— les religions à mystère elles-mêmes ont accusé les chrétiens d'athéisme parce qu'ils refusaient les autres dieux.

3. Paul un homme de son temps

En résumé, on peut dire que Paul a emprunté beaucoup à la philosophie grecque, mais cela ne signifie pas nier d'un même souffle l'influence du judaïsme tardif sur l'apôtre. Voir en Paul un Juif tellement grécisé que toute mentalité juive est évacuée serait pour le moins exagéré. D'ailleurs c'est à la suite des études à tendance «grécisantes» que les réactions pro-juives sont apparues en exégèse paulinienne. Il faut rester dans un juste milieu. Juif de la Diaspora, Paul était dans l'ambiance de la culture grecque et cela était tout à fait normal. Il serait sage de voir en Paul un homme de son temps —Juif de la Diaspora — vivant dans un monde imprégné de culture hellénistique. Il a su s'adapter à ce monde en mutation. Son œuvre est marquée par les deux cultures.

Bibliographie pour mieux comprendre l'influence du monde grec sur Paul

BENOIT, P.,   «Sénèque et Paul», dans *Exégèse et Théologie,* t. 2, Paris, Cerf, 1961, pp. 383-414.

BULTMANN, R.,   *Theology of the New Testament,* New York, Scribner's Sons, 1951, pp. 63-164.

FESTUGIÈRE, A.J., *Le monde gréco-romain au temps de Notre-Seigneur,* t. 1, Paris, Gabalda, 1935.

GOODENOUGH, E.R., *Jewish Symbols in the Greco-Roman Period,* New York, Pantheon Books, 1953.

HUGEDÉ, N.,   *Saint Paul et la culture grecque,* Genève, Labor et Fides, 1966.

JAGU, A.,   «Saint Paul et le Stoïcisme», *RSR* 32 (1958) 225-250.

KÄSEMANN, E.,   *Perspectives on Paul,* Philadelphie, Fortress Press, 1971.

PETERS, F.E.,   *The Harvest of Hellenism,* New York, Simon and Schuster, 1971.

PFITZNER, V.C.,   *Paul and the Agon Motif: Traditional Athletic Imagery in the Pauline Literature,* New York, Humanities Press, 1967.

TCHERIKOVER, V.,   *Hellenistic Civilization and the Jews,* New York, Atheneum, 1970.

Deuxième partie

Le type de littérature

I
Le genre épistolaire

1. L'importance du genre épistolaire dans la Bible

L'Ancien Testament ne contient que quelques passages épistolaires (2 S 11, 14-15; 1 R 21, 9-10; 2 R 19, 10-12; Jr 29, 1-23: la lettre aux exilés...). Le Nouveau Testament au contraire présente 21 lettres sur les 27 écrits qui le composent et 14 font partie de ce qu'il est convenu de nommer «le corpus paulinien», ce qui n'implique pas nécessairement que Paul soit l'auteur de toutes ces lettres.

Comment expliquer l'importance du genre épistolaire dans le Nouveau Testament? D'une part, ce genre était largement pratiqué par les philosophes du monde gréco-romain pour diffuser leur enseignement et d'autre part les rabbins juifs utilisaient aussi la lettre pour répondre aux questions des Juifs de la Diaspora. Paul aurait suivi la tendance générale pour communiquer avec les églises et pour compléter l'enseignement chrétien déjà amorcé par la prédication.

2. La distinction entre la lettre et l'épître

Parler du genre épistolaire, c'est parler de «lettre» et d'«épître». Une étude de A. Deissmann en 1923 a permis de clarifier cette question. Même s'il a été critiqué parce que ses conclusions ne permettaient pas de classifier d'une manière adéquate toutes les missives de l'antiquité, on doit reconnaître cependant qu'elle permettent de déterminer deux extrêmes entre lesquels il y a place pour introduire des nuances.

61

a) *La lettre*

La lettre est un écrit de caractère privé et confidentiel que l'on adresse à une personne pour lui communiquer une nouvelle ou encore demander un service ou un renseignement... Elle peut aussi être destinée à un groupe de personnes bien déterminées, mais le but de l'envoi demeure une communication privée en rapport avec des circonstances particulières concernant ces personnes. Habituellement de style spontané, la lettre n'est pas une œuvre littéraire à proprement parler. Elle est plutôt une sorte de dialogue, de conversation à distance dont nous ne connaissons qu'une des parties. L'auteur fait part de ses sentiments à ses correspondants. Il se raconte et il s'informe. Il encourage et il console. La lettre est considérée comme un écrit familier et passager.

b) *L'épître*

L'épître est une «lettre missive», i.e. une lettre à caractère public, adressée à des personnes indéterminées. Elle est destinée à être diffusée afin d'atteindre le plus de lecteurs possibles. Elle traite de sujets précis développés de façon systématique et structurée. L'auteur suit des règles et des procédés en usage dans toute œuvre littéraire: plan rigoureux, style soigné et développement bien fait.

Il est facile de voir que la différence est grande entre la lettre et l'épître. Et la question qui se pose au sujet des écrits pauliniens est la suivante: sont-ils des lettres ou des épîtres? Selon la réponse donnée, l'interprétation de ces écrits peut varier beaucoup.

3. L'identification des écrits pauliniens

Si l'on s'appuie sur les définitions données plus haut pour évaluer les écrits pauliniens — ou dits pauliniens — nous arrivons aux conclusions suivantes:

4 sont adressés à une personne:

— *Philémon*
— *1 Timothée*

— *2 Timothée*
— *Tite*

8 sont adressés à un groupe déterminé:

— *Romains*
— *1 Corinthiens*
— *2 Corinthiens*
— *Galates*
— *Philippiens*
— *Colossiens*
— *1 Thessaloniciens*
— *2 Thessaloniciens*

1 est adressé à un groupe indéterminé:

— *Éphésiens* (l'adresse «*Éphésiens*» manque dans plusieurs bons manuscrits)

1 est sans adresse:

— *Hébreux*

Ces écrits sont considérés comme des lettres par plusieurs critiques mais certains hésitent et les voient comme des épîtres parce qu'ils ne sont jamais strictement privés:

a) Paul décline ses titres d'une manière officielle:

> Paul appelé à être apôtre du Christ Jésus par la volonté de Dieu... (1 *Co* 1,1)

b) Il ajoute à son nom le nom de ses collaborateurs comme étant des co-expéditeurs:

> Paul, Sylvain et Timothée à l'église des Thessaloniciens... (1 *Th* 1,1)

c) Souvent, il énumère les titres de ses destinataires ce qui fait que ces derniers ne sont plus des personnes ordinaires:

> Paul... à l'église de Dieu qui est à Corinthe, ainsi qu'à tous les saints qui se trouvent dans l'Achaïe entière (2 *Co* 1,1).

De plus, à cause de leur contenu dont le but est d'affermir la foi, ces lettres sont destinées à être lues en public, dans les assemblées chrétiennes:

«Je vous en conjure par le Seigneur, que cette lettre soit lue à tous les frères» (1 *Th* 5,27).

et enfin elles doivent même être échangées entre les communautés:

> Quand vous aurez lu ma lettre, transmettez-la à l'église de Laodicée, qu'elle la lise à son tour. Lisez de votre côté celle qui viendra de Laodicée (*Col* 4,16).

Nous sommes donc obligés d'admettre que ces lettres ont un caractère plutôt public, même si elles sont des écrits occasionnels répondant à des besoins précis. Elles sont en fait des *écrits religieux officiels* provenant d'une personne en autorité. Leur envoi a été, semble-t-il, décidé et approuvé par les «responsables» d'une église. Destinées à être lues en assemblée elles doivent même circuler entre les communautés diverses.

Béda Rigaux les considère comme des «actes apostoliques» et des «documents d'Église» pour l'Église:

> On y distingue: a) la voix du témoin de l'Évangile et la proclamation du kérygme, le rappel de la prédication orale, l'insistance sur la tradition et la fidélité à la parole du Seigneur; b) la parole du théologien qui manie l'Écriture à la façon des rabbins ou selon un genre qui lui est personnel, qui polémise en s'adaptant à l'objection présentée en relevant l'accusation de l'adversaire, qui apporte des précisions sur les doctrines, les situations ecclésiales, qui spécule sur les données déjà connues et admises pour intégrer dans le fonds reçu, des lumières nouvelles; c) l'élévation du prophète et l'explosion du mystique qui demande à une nouvelle révélation l'épanouissement du mystère et l'accomplissement du culte nouveau dans la louange et l'économie parfaite.
>
> C'est grâce à ce caractère à la fois occasionnel et universel que les lettres pauliniennes sont ensemble des tranches de vie et des traités, qu'elles sont des documents d'histoire et des sources de foi, qu'elles ont façonné le passé et placent encore l'homme d'aujourd'hui devant un choix et un engagement décisifs.
>
> (RIGAUX, *Saint Paul,* pp.168-169)

Pour apporter plus de précision, nous pouvons classer les écrits pauliniens en commençant par ceux qui se rapprochent le plus de la lettre:

a) *Philémon* est une lettre véritable. Elle s'adresse à des personnes bien déterminées et à une église «privée qui s'assemble dans la maison de Philémon» (v.2.)

b) *1 et 2 Timothée et Tite* s'adressent aussi à des personnes déterminées, mais en tant que chefs d'une église. Au delà de Timothée et de Tite, elles sont destinées aux églises qu'ils dirigent.

c) *1 et 2 Thessaloniciens* sont des instructions et des exhortations communautaires.

d) *1 et 2 Corinthiens* sont plus officielles que les précédentes par les interventions apostoliques qu'elles contiennent.

e) *Philippiens* se rapproche de *Thessaloniciens,* mais les sujets traités sont plus théologiques.

f) *Galates* a beaucoup de spontanéité, mais la polémique de l'apôtre y atteint un large public.

g) *Éphésiens* conserve son caractère de lettre malgré ses spéculations théologiques profondes.

h) *Romains* se rapproche beaucoup de l'épître. Elle ne vise aucune situation particulière. Elle tient de la spéculation. Elle est un exposé doctrinal sur la conception du salut et de la vie chrétienne.

i) *Colossiens* est une œuvre liturgique hautement théologique.

j) *Hébreux* est considérée comme une épître, mais de plus en plus les auteurs modernes lui trouvent l'allure d'un sermon ou d'une homélie. Le message de cet écrit est de montrer que Jésus est notre grand-prêtre.

Pourquoi Paul a-t-il choisi le genre épistolaire? On peut penser qu'il a pu être influencé par les habitudes littéraires de l'époque, mais il est sûr que ce genre lui a permis d'établir une sorte de dialogue avec les communautés. En effet, après avoir prêché son Évangile et fondé ses églises, il a senti le besoin de rester en communication avec elles pour poursuivre leur instruction. Aussi toutes ses lettres sont-elles écrites pour répondre aux besoins de son activité missionnaire: réponses à des questions précises de ses destinataires, explications de certains points de doctrine, annonce du message du salut, conseils d'éthique, auxquels s'ajoutent des passages liturgiques. Toutes témoignent de son affection pour ses communautés et du souci qu'il se fait de leur avancement dans la foi.

À l'occasion de ses lettres — par exemple de *Ga* et de *Rm* — l'apôtre développe la doctrine de la gratuité du salut qui vient de Dieu par le Christ et qui s'oppose à la conception juive de la justification par la loi. En 1 *Co*, il traite de façon particulière des problèmes posés par l'affrontement du christianisme et de la culture païenne. Ses polémiques avec ses adversaires en *Ga, Ph* et 2 *Co* lui permettent de défendre son évangile et son apostolat et de montrer la radicalité du message chrétien.

Par ses lettres, Paul apporte des renseignements précieux sur la vie des communautés chrétiennes à l'époque, sur les problèmes auxquels elles ont eu à faire face et sur leur développement extraordinaire à travers le monde.

4. Le canevas d'une lettre et le traitement que Paul lui a donné

Si on compare les lettres pauliniennes aux lettres d'autres auteurs de l'époque, par exemple celles de Pline, de Sénèque, d'Épictète, on peut constater que Paul connaît les règles du genre épistolaire, mais qu'en même temps, il est passablement innovateur dans la présentation et le traitement du contenu.

— Les lettres antiques comprenaient trois parties:

a) *l'adresse ou la salutation* caractérisée par sa brièveté et générale-lement formulée ainsi: le nom de l'auteur (au nominatif), le nom du destinataire (au datif) suivi des souhaits, par exemple, «Apion à Épima-que, son père et seigneur, beaucoup de salutations»,

b) *le corps de la lettre* ou le sujet traité,

c) *la conclusion ou la finale* qui se limite le plus souvent à un simple souhait: «*eutuchei*» — bonne chance — ou «*errôso*» — adieu. Cette conclusion était écrite habituellement par l'expéditeur et elle authentifiait la lettre car la signature était inconnue des anciens.

— Qu'est-ce que Paul a fait de ce formulaire classique? Il l'a respecté dans ses grandes lignes, mais on peut dire qu'il l'a adapté et quelque peu transformé.

a) *L'adresse* est devenue sous sa plume l'occasion d'expliciter son titre d'apôtre et de louer ses destinataires:

> Paul, appelé à être apôtre du Christ Jésus et Sosthène le frère, à l'église de Dieu qui est à Corinthe, à ceux qui ont été sanctifiés dans le Christ Jésus, appelés à être saints avec tous ceux qui invoquent en tout lieu le nom de Notre Seigneur Jésus Christ, leur Seigneur et le nôtre, à vous grâce et paix de la part de Dieu, notre Père et du Seigneur Jésus Christ (1 *Co* 1,1-3).

b) *Le corps de la lettre* est développé suivant les règles en usage. Le style et la façon d'argumenter de Paul sont caractérisés par l'influence du discours — style oratoire — et particulièrement par l'utilisation de la diatribe et de l'antithèse. De plus il a abondamment cité l'Ancien Testament.

c) Les *souhaits* se sont transformés en *bénédiction et en action de grâce*:

> Que la grâce de Notre Seigneur Jésus Christ soit avec vous (1 *Th* 5,28; cf. 2 *Th* 3,18; 1 *Co* 16,23; 2 *Co* 13, 13).

On peut ajouter ici que le style de Paul est oratoire. On sent partout l'influence du discours dans sa rédaction et plus ses lettres se rapprochent de l'épître, plus cette influence est accentuée, par exemple, les grands développements de *Romains* sur la justice de Dieu (1-3), la foi (4), la mort et la vie avec Christ (6), la loi (7), la libération par l'Esprit (8).

Il faudrait aussi souligner la longueur de ses phrases (2 *Co* 8-9), certaines formules récitatives (1 *Th* 1,9-10), les descriptions apocalyptiques (1 *Th* 4,16-17; 2 *Th* 2, 3-4; 8-12), le rythme de certains passages (2 *Co* 11,22-23) et enfin les ruptures dans la construction de ses phrases —les anacoluthes — (1 *Co* 9,15). On a souvent l'impression que Paul est là devant nous, emporté par le feu du discours: 2 *Co* en entier est particulièrement révélatrice à ce sujet.

5. La rédaction des lettres au temps de Paul

L'étude des lettres de Paul doit tenir compte des circonstances dans lesquelles elles ont été rédigées. Un ouvrage intéressant sur le sujet — et qui a fait couler beaucoup d'encre — est celui de O. Roller sur la formule des lettres pauliniennes. Malheureusement il n'est accessible qu'en allemand. L'auteur y présente une étude exhaustive sur la rédaction matérielle des lettres dans l'antiquité. Selon son hypothèse, il fallait un temps considérable pour rédiger une lettre, étant donné les matériaux rudimentaires dont disposaient les écrivains: feuilles de papyrus rugueux, encre de fer, plumes d'oie. Écrire une lettre devenait un travail très difficile. En général des spécialistes, nommés scribes, initiés à l'écriture cursive, s'acquittaient de cette tâche. Et tout bon scribe n'écrivait que 72 mots à l'heure, i.e. 3 syllabes à la minute. Une feuille de papyrus contenait 140 mots...

Roller a appliqué ces données aux lettres de Paul et il a prétendu en déduire le nombre d'heures de travail exigées et la quantité de feuilles utilisées pour chacune. La lettre aux *Romains* — la plus longue — qui contient 7101 mots aurait demandé 98 heures de travail et 50 feuilles de papyrus; 1 *Co* — 6820 mots —, 94 heures et 45 feuilles..., *Philémon* —la plus courte —, 4 heures et 3 feuilles. Paul qui travaillait pour gagner sa vie devait dicter ses lettres le soir et comme un scribe pouvait difficilement écrire plus longtemps que 2 ou 3 heures, il lui aurait fallu des mois pour terminer une seule lettre.

Peut-on vraiment tirer des conclusions sûres et précises des hypothèses de Roller? Il semble que Roller ait mené sa thèse d'une façon trop rigide, aussi plusieurs exégètes se sont montrés sceptiques devant ses conclusions concernant la dictée et le temps nécessaire pour écrire une lettre. S. Lyonnet a même rejeté la position de Roller — et il n'est pas le seul: «l'unité de pensée des épîtres pauliniennes ne sauraient se concilier avec une dictée s'étendant sur plusieurs semaines» («De arte litteras exarandi apud antiquos», *VD* (1956) 3-11).

Une dictée rapide n'était pas impossible car la tachygraphie qui existait chez les Latins en 60 ap. J.C. devait être aussi connue des Grecs. Des tablettes de cire permettaient aux scribes de prendre des notes durant la dictée. Ces notes pouvaient être ensuite transcrites sur les feuilles de papyrus. L'unité de style et de pensée des lettres pauliniennes fait pencher pour cette hypothèse.

On pourrait épiloguer longtemps sur le sujet, mais d'une manière générale on peut dire que Paul n'écrivait pas ses lettres lui-même, il les dictait à un secrétaire, ce qui expliquerait des répétitions, des phrases trop longues, des changements de thèmes et des ruptures dans la construction des phrases. On connaît même le nom du secrétaire qui a écrit la lettre aux Romains (*Rm* 16,22). Par contre, Paul écrivait habituellement quelques lignes de sa propre main à la fin de ses lettres (2 *Th* 3,17-18; 1 *Co* 16, 21-23; *Ga* 6,11-18; *Col* 4,18). Ces mots autographes de l'apôtre authentifiaient l'écrit.

Bibliographie choisie pour l'étude de certains problèmes relatifs au genre littéraire

BAHR, G.J., «The Subscriptions in the Pauline Letters», *JBL* 87 (1968) 7-41.

BAHR, G.J., «Paul in the Letter Writing in the First Century», *CBQ* 28 (1966) 465-477.

CUMING, G.J., «Service-Endings in the Epistle», *NTS* 22 (1975/1976) 110-113.

DOTY, W.G., *Letters in Primitive Christianity*, Philadelphia, Fortress Press, 1973.

ESCHLIMANN, J.A., «La rédaction des épîtres pauliniennes d'après une comparaison avec les lettres profanes de son temps», *RB* 53 (1946) 185-196.

GUMBERT, J.P., *Structure and Form of the Letter in Greek Documentary Papyri*, Leiden, Brill, 1965.

MULLINS, T.Y., «Formulas in N.T. Epistles», *JBL* 91 (1972) 380-390.

MULLINS, T.Y., «Disclosure. A Literary Form in the N.T.», *NT* 7 (1965) 644-650.

NELIS, J., «Les antithèses littéraires dans les épîtres de saint Paul», *NRT* 80 (1948) 360-387.

RIGAUX, B., *Saint Paul et ses lettres*, Paris, Desclée, 1962, pp. 163-198.

ROETZEL, C.J., *The Letters of Paul*, Atlanta, John Knox Press, 1975.

SANDERS, J.T., «The Transition from Opening Epistolary Thanksgiving to Body in the Letters of the Pauline Corpus» *JBL* 81 (1962) 348-362.

SCHUBERT, P., *Form and Function of the Pauline Thanksgiving*, Berlin, Töpelmann, 1939.

STOWERS, S.K., *The Diatribe and Paul's Letter to the Roman,* Chico, Scholars Press, 1981.

WHITE, J.L., «Introductory Formulae in the Body of the Pauline Letter», *JBL* 95 (1971) 92-97.

WILSON, C.A., *New Light on New Testament Letters,* Grand Rapids, Eerdmanns, 1975.

II
Le Corpus paulinien

1. La formation du «Corpus»

Les éléments essentiels du «Corpus paulinien» semblent avoir été rassemblés très tôt. En effet 2 *P* 3,15-16 laisse supposer que l'auteur de cette lettre et ses destinataires possédaient une collection des lettres pauliniennes. De même Clément de Rome (vers 95) cite très souvent des passages de Paul; Polycarpe (100/150) fait la même chose. Ils avaient sûrement un recueil sous la main. Aussi les spécialistes sont généralement d'accord pour situer la formation du «Corpus» avant 95, au moins pour les principales lettres adressées à des églises. Cependant l'endroit où ce recueil aurait été constitué demeure inconnu même si des archives pauliniennes existaient dans les différentes églises fondées par Paul. On peut supposer que Corinthe ou Ephèse auraient réuni cette collection.

Les plus anciens témoins du «Corpus» ne suivent pas le même ordre dans le classement des lettres. Marcion (vers 144) place *Galates* tout au début suivie de 1 et 2 *Co, Rm*, 1 et 2 *Th, Ep* (qu'il nomme *Laodicéens*), *Col, Ph* et *Phm.* Vers 180, le canon de Muratori aurait essayé de placer les lettres selon un ordre chronologique. Il est intéressant de remarquer que l'épître aux *Hébreux* n'y figure pas. Ce n'est qu'avec les grands manuscrits Vaticanus et Sinaïticus que l'on trouve l'ordre des lettres tel que nous le connaissons. On peut donc conclure que cet ordre aurait pu être établi vers le début du 4e siècle.

2. La classification des lettres

Dans nos bibles, les lettres sont placées par ordre de grandeur décroissante, mais il faut remarquer trois choses: les lettres adressées aux églises précèdent celles qui sont adressées à des individus; *Éphésiens* vient après *Galates* même si elle est un peu plus longue: on a voulu l'associer à *Philippiens* et à *Colossiens* parce que ces trois lettres ont été écrites en captivité; *Hébreux* est tout à la fin à cause des doutes sur son origine paulinienne et de la longue période de flottement avant son insertion dans le «Corpus» et le canon.

Selon la nomenclature habituelle de nos bibles on peut regrouper les lettres par blocs, ainsi:

1) *les premières lettres:*

   — 1 Thessaloniciens
   — 2 Thessaloniciens

2) *les grandes lettres:*

   — Romains
   — 1 Corinthiens
   — 2 Corinthiens
   — Galates

3) *les lettres de la captivité:*

   — Éphésiens
   — Philippiens
   — Colossiens
   — Philémon

4) *les lettres pastorales:*

   — 1 Timothée
   — 2 Timothée
   — Tite

5) *l'épître aux Hébreux*

Bibliographie choisie pour l'étude de la formation du «Corpus»

CARROLL, K.L.,   «The Expansion of the Pauline Corpus», *JBL* 72 (1953) 230-237.

DUPLACY, J.,   *Où en est la critique textuelle du Nouveau Testament?*, Paris, Gabalda, 1959, pp. 58-59.

FINEGAN, J.,   «The Original Form of the Pauline Collection», *HTR* 49 (1956) 85-107.

GAMBLE, H.,   «The Redaction of the Pauline Letters and the Formation of the Pauline Corpus», *JBL* 94 (1975) 403-418.

GOODSPEED, E.J.,   «The Editio Princeps of Paul», *JBL* 64 (1945) 193-195.

HURD, J.C.,   «The Sequence of Paul's Letters», *CanJT* 14 (1968) 189-200.

KNOX, J.,   «A Note on the Formation of the Pauline Corpus», *HTR* 50 (1957) 311-314.

MITTON, C.L.,   *The Formation of Pauline Corpus of Letters,* Londres, Epworth Press, 1955.

MURPHY-O'CONNOR, J., «Corpus paulinien», *RB* 84 (1977) 305-318.

QUINN, J.D.,   «P^{46}: The Pauline Canon?» *CBQ* 36 (1974) 372-385.

SPARKS, H.F.D.,   «The Order of the Epistles in P^{46}», *JTS* 42 (1941) 180-181.

STIREWALT, M.L.,   «Paul's Evaluation of Letter Writing», dans *Search the Scripture Fest. R.T. Stamm,* Gettysburg, Leiden, Brill, 1969, pp. 179-196.

III
Le problème de l'authenticité

1. Le problème en général

Le problème de l'authenticité des lettres pauliniennes s'est posé dès les 2e et 3e siècles: l'épître aux *Hébreux* a suscité des controverses. On peut dire d'une façon générale que les Pères orientaux ont attribué cette épître à Paul alors que les Pères occidentaux ont hésité longtemps avant de se rallier à la tradition orientale.

À l'époque moderne, tous les critiques reconnaissent qu'*Hébreux* n'est pas de Paul, et le problème est de chercher à retracer l'auteur. Plusieurs noms ont été proposés: Luc, Barnabas, Clément de Rome, Apollos et d'autres, mais aucun de ces noms n'a réussi à rallier les opinions.

Les treize autres lettres ont toujours été reconnues comme venant de Paul jusqu'au 19e siècle, alors que F.C. Baur de l'école de Tübingen a remis en question l'authenticité de plusieurs d'entre elles. En fait, Baur ne reconnaissait que *Ga, Rm,* 1 *Co* et 2 *Co*. Depuis, les discussions se sont poursuivies et se poursuivent encore.

Étudier le problème dans toute son étendue ne fait pas partie de notre propos, nous nous contenterons donc de donner la tendance actuelle et de cerner les problèmes les plus aigus en citant l'opinion de quelques exégètes dont les ouvrages sont facilement accessibles. Nous donnerons aussi brièvement notre opinion personnelle. Nous n'aborderons pas le problème d'*Hébreux* parce qu'il est trop complexe et que cet écrit n'est plus reconnu comme paulinien.

Actuellement d'une façon générale:

- *Rm, 1Co, 2 Co, Ga, Ph,* 1 *Th, Phm* sont reconnues comme authentiques
- 2 *Th, Col* sont souvent controversées
- *Ep* est très controversée
- 1 *Tm, 2 Tm, Tt* sont attribuées à un disciple de Paul

Pourquoi l'authenticité de 2 *Th, Col, Ep* est-elle remise en question?

Pourquoi les *Pastorales* sont-elles attribuées à un disciple de Paul?

C'est ce à quoi nous essayerons de répondre.

2. Études de quelques problèmes particuliers

a) 2 Thessaloniciens

Les doutes sur l'authenticité de 2 *Thessaloniciens* proviennent de:
- la dépendance littéraire de 1 *Thessaloniciens*
- la divergence de théologie
- la différence d'eschatologie
- certains problèmes mineurs relatifs à la signature et à la possibilité d'un faux écrit.

Parmi les critiques qui d'une part soutiennent de telles hypothèses, il y a toujours W. Trilling (1972) et J. Schmidt (1973) qui la considèrent comme deutéro-paulinienne. La *TOB* dans son introduction présente les difficultés mentionnées plus haut et attribue la lettre à «un écrivain chrétien, responsable de communauté, pénétré de l'enseignement de Paul» (*TOB* p. 613). G. Bornkamm résume bien tous les arguments qui font pencher pour l'inauthenticité:

> L'auteur suit de très près 1 Thess. (jusque dans les tournures insignifiantes). La situation épistolaire (fictive) est la même; si elle est authentique, l'épître devrait avoir été écrite immédiatement après 1 Thess. Mais en ce cas, l'utilisation littéraire, par Paul lui-même, de sa propre lettre antérieure serait inhabituelle; la réponse tout autre donnée à la question de la fin du monde et

de la parousie du Christ, à l'aide d'une information apocalyptique développée, serait insolite. (Énumération des événements qui doivent survenir avant l'*eschaton* et qui retarderont la fin, cf. 2,1-12). En outre, l'auteur polémique déjà contre de «prétendues» épîtres pauliniennes (2,2) qui annoncent la proximité immédiate du jour du Seigneur attendu (1 Thess!); enfin, la signature de la propre main de Paul est invoquée en tant que signe de l'*authenticité* de 2 Thess.

(BORNKAMM, *Paul,* p.328)

D'autre part, Béda Rigaux — spécialiste des lettres aux *Thessaloniciens* — dont la position critique est retenue par W.G. Kümmel apporte des arguments solides pour appuyer la thèse de l'authenticité. J.M. Cambier en a fait une synthèse intéressante:

> Les observations littéraires ne doivent pas conduire à des conclusions abusives. Si on prend les deux épîtres en bloc, 90% de leur vocabulaire figurent dans les grandes épîtres et dans celle de la captivité. Les expressions caractéristiques, qui sont le reflet de la personnalité, révèlent la main de Paul qu'on retrouve avec son cœur, sa chaude affection pour les frères qu'il a gagnés au Christ, sa confiance en leur fidélité malgré leurs déficiences, mais aussi la conscience de ses droits d'apôtre. De 1 *Th* à 2 *Th*, les différences de style et de ton et même de perspectives doctrinales s'expliquent par le fait que la communauté a évolué entre temps. Après avoir renoué avec elle, Paul se sait pleinement accepté; mais la situation l'oblige à insister sur les erreurs et les dangers qui s'y font jour. (CAMBIER, «Paul et l'église de Thessalonique» dans *Introduction à la Bible,* pp. 42-43).

Nous croyons à la suite de Cambier, de Kümmel et de Rigaux, contre Bornkamm, que les deux lettres aux *Thessaloniciens* ont été écrites par Paul vers la même époque à quelques mois de distance — en 50/51 selon notre opinion — et dans l'ordre présenté par nos bibles. Ainsi d'ailleurs pensent actuellement la majorité des éxégètes.

b) *Colossiens*

L'authenticité paulinienne de *Colossiens* est contestée à cause:

- de la langue
- du style
- de la christologie

En fait, c'est au 19e siècle que le problème de l'authenticité de *Colossiens* a surgi, F.C. Baur et son école l'ont fait remonter au 2e siècle et selon eux, cette lettre tirerait son origine des cercles gnostiques. Dernièrement, quelques critiques et non des moindres en ont de nouveau nié l'authenticité: ainsi R. Bultmann, G. Gnilka et G. Bornkamm. D'autres ne voient qu'une authenticité partielle: Ch. Masson, P.N. Harrison et H.J. Schoeps. Ils voient un écrit paulinien auquel des disciples auraient apporté des variantes et des surcharges. Voici la position de G. Bornkamm:

> Les rapports très étroits, stylistiques et théologiques avec Éphésiens, rapprochent cette lettre de l'Épître aux Éphésiens (malgré certaines différences) et l'éloignement de Paul (la conception diffère de la sienne à propos de la christologie, de l'Église, du baptême, de la fonction apostolique, de l'eschatologie). Aussi nettement que l'auteur a recours à certaines pensées authentiquement pauliniennes et qu'il est au courant de la situation de l'apôtre détenu, aussi nettement nous trouvons déjà dans cette épître les traces de «l'école paulinienne» qui poursuit le travail théologique de l'apôtre...

(BORNKAMM, *Paul*, p. 328)

Les principaux tenants de l'authenticité sont E. Percy et H. Chadwick. Le premier montre qu'il est plus difficile d'enlever à Paul le droit d'auteur de *Colossiens* que de le lui laisser, même si le style de la lettre est beaucoup plus solennel et soutenu. Le second soutient qu'une hérésie a bien pu voir le jour et que de telles circonstances ont pu conditionner certains arguments de Paul. Nous pourrions ajouter que:

> Les idées, le vocabulaire et le style élevé sont explicables par les circonstances; on peut très bien imaginer l'erreur colossienne au temps de l'emprisonnement de Paul, et son ton est celui de l'Apôtre martyr qui s'adresse à des chrétiens inconnus.

(RIGAUX, *Saint Paul,* p. 142)

> Il est plausible que la réaction contre le syncrétisme de Colosses ait été un puissant excitant pour la pensée puissante et originale

de Paul qui se modifie très rapidement et se hausse à de nouvelles synthèses.

(CERFAUX, cité dans *Introduction*, T.3, p. 163)

Avec les tenants de l'authenticité nous disons que *Colossiens* est une lettre paulinienne écrite au temps de la captivité à Césarée (58-60). Paul aurait adapté son style et son vocabulaire à la crise de Colosses. D'ailleurs c'est ce qu'il a fait dans les grandes épîtres.

c) *Éphésiens*

Le grand problème posé par *Éphésiens* relève :
- de la relation littéraire avec *Colossiens*
- du style totalement différent de toutes les autres lettres
- de la théologie

L'authenticité est contestée voire niée en général, sauf chez certains catholiques. Actuellement la discussion prend de l'ampleur. À la suite de Baur qui voit un écrit «pré-catholique» du 2e siècle, composé par un disciple de Paul, les grands défenseurs de cette thèse sont Kümmel (1973), Gnilka (1971), Bornkamm (1971) et M. Barth (1974). Nous citons de nouveau la position de Bornkamm à cause de la précision de sa synthèse :

> Le nom de la localité n'est pas accentué avec certitude dans le texte ; il s'agit d'un traité théologique plutôt que d'une lettre ; le style n'est pas paulinien ; des divergences d'avec la théologie de l'apôtre (en particulier au sujet de l'Église en tant que corps cosmique dont le Christ est le «chef») ; la cosmologie est influencée par la gnose ; il y a corrélation avec certaines pensées de l'épître aux Colossiens développées toutefois de façon autonome. Époque de la rédaction : autour de 100 après Jésus Christ.

(BORNKAMM, *Paul,* p. 328).

La position de l'authenticité a été défendue par plusieurs éxégètes dont W. Michaelis et P. Benoit. Voici en résumé cette position : la lettre aurait été écrite durant la captivité de Rome, ce qui expliquerait la progression du style et l'approfondissement de doctrine. Après une première rédaction face à la crise de Colosses, l'apôtre Paul aurait réfléchi et sa pensée se serait affinée, ce qui expliquerait que la synthèse qu'il fait dans *Éphésiens* soit aussi admirable. La seule difficulté serait la reprise de certaines expressions de *Colossiens* faites d'une façon maladroite, mais P. Benoit souligne que Paul n'écrivait pas lui-même ses lettres. Cela serait suffisant pour voir une plus grande part de travail rédactionnel du secrétaire dans le cas d'*Éphésiens*.

La question d'authenticité d'*Éphésiens* est toujours ouverte et nombreux sont les critiques qui s'y intéressent. Si Paul en est l'auteur, des questions se posent au sujet de la captivité, il faut opter ou pour Césarée ou pour Rome et il faut supposer que le secrétaire de la lettre aurait accompagné Paul. Si Paul n'est pas l'auteur de la lettre, *Ep* peut être datée entre les années 70/100 (Barth) ou entre 80/100 (Kümmel). Gnilka trouve que la conception de l'Église semble être celle de la génération suivante, aussi il date l'épître des années 90/95. On pourrait épiloguer longtemps sur *Éphésiens*. L'auteur qui nous a semblé le mieux résumer toutes les positions dans un langage accessible est M. Carrez, un des auteurs de l'*Introduction à la Bible* (cf. p. 179-181). Il est clair que l'authenticité d'Éphésiens n'est pas encore prouvée et qu'elle ne le sera pas bientôt.

Pour nous *Ep* n'a pas été écrite par Paul malgré sa parenté littéraire avec *Col*. Le style de l'écrit ne ressemble pas au style agressif de l'apôtre. Son développement théologique relatif au corps de l'Église dont le Christ est la tête ne suit pas la même ligne de pensée que dans les autres lettres. *Ep* serait le seul écrit où Paul ne mentionne pas qu'il ait fait un séjour dans cette église, alors qu'on sait qu'il y est resté plus de deux ans.

d)   Les Pastorales

Malgré le témoignage unanime d'authenticité des *Pastorales* dans la tradition de l'Église depuis Irénée au 2e siècle et Eusèbe au 4e siècle, un grand nombre de critiques modernes considèrent que 1 et 2 *Timothée* et *Tite* n'ont pas été écrites par Paul. Leurs arguments sont les suivants:

- les erreurs combattues
- l'organisation des églises
- le style et le vocabulaire

Il est frappant en effet de voir combien ces trois lettres sont différentes des autres.

Si l'on part de l'hypothèse de la libération de Paul de sa prison romaine et de son activité ultérieure — selon la tradition de l'Église primitive — il est très difficile de faire concorder toutes les références de voyage faites dans les lettres pastorales. Une telle tentative aboutit à un voyage qui n'a aucune cohérence.

Devant cette incohérence F. C. Baur et les libéraux ont fait l'hypothèse que les *Pastorales* auraient été écrites au 2e siècle, et qu'elles auraient été l'œuvre de disciples de Paul. Leur but aurait été de réinterpréter son message alors qu'il était tombé dans l'oubli et peut-être la disgrâce de l'Église. Afin de donner à leurs écrits un caractère d'authenticité, ils auraient fourni une grande quantité de détails géographiques. Parmi les critiques qui ont suivi cette position, on peut citer M. Dibelius, R. Bultmamm, C.K. Barrett, W.C. Kümmel et G. Bornkamm.

D'autres auteurs ont pensé que tout en étant écrites au 2e siècle, les *Pastorales* contiennent des fragments pauliniens, par exemple: *Ti* 3,12-15; 2 *Tm* 4,13; 4,16-19, etc. C'est la thèse de l'authenticité partielle adoptée par R.E. Osborne à la suite de P.N. Harrisson qui affirme même que c'est nettement un vocabulaire du 2e siècle (175 mots ne se trouvent pas ailleurs dans les lettres pauliniennes).

Il y a aussi la thèse d'authenticité médiate, c'est-à-dire celle qui montre le rôle important que l'auteur aurait joué dans la rédaction. Selon les tenants de cette thèse, Paul était non seulement en prison mais aussi enchaîné (2 *Tm*, 1,8.16; 2,9) et la dictée aurait été difficile. Paul aurait dicté l'essentiel uniquement et le secrétaire aurait développé la pensée de l'apôtre. C'est l'opinion défendue par P. Benoit, G. Holtz, J.N.D. Kelly et C.F.D. Moule. Il est à remarquer que C. Spicq, partisan de l'authenticité, n'écarte pas une telle possibilité.

Le problème des *Pastorales* est très complexe et nécessiterait un long développement, voici un résumé des positions extrêmes:

Selon Bornkamm, les *Pastorales* dateraient du 2e siècle à cause de:

> La situation biographique impossible à vérifier dans le livre des Actes ou dans les autres épîtres pauliniennes (incontestées); les structures postapostoliques des communautés, les caractérisques de l'hérésie; le vocabulaire et certains indices théologiques.

(BORNKAMM, *Paul,* p. 327)

Par contre, l'authenticité a été défendue par C. Spicq. Cependant il admet la présence active d'un secrétaire — peut-être Luc — dont les écrits présentent des analogies avec les *Pastorales*. Pour défendre sa position, il apporte les arguments suivants: 1. les *Pastorales* se présentent comme des écrits pauliniens et les adresses en sont la preuve évidente; 2. la doctrine des épîtres est absolument conforme à celle de l'apôtre et la piété de celui-ci s'y révèle aussi christocentrique que théologique; 3. les formules sont pauliniennes; 4. les traits psychologiques révèlent la main de l'apôtre et constituent à eux seuls un critère décisif d'authenticité.

Dernièrement, S. de Lestapis a relancé toute la question en plaçant les *Pastorales* bien avant, à l'intérieur des activités pauliniennes, dans les années 50. L'ouvrage de Lestapis est intéressant dans le sens qu'il ouvre des pistes de recherches complètement nouvelles. Ce qui fait la faiblesse de sa recherche, c'est que dès le début il avertit le lecteur que son point de départ est une «intuition». Il reste qu'il faut lire cet ouvrage magistral qui bouscule toute la chronologie de Paul.

Nous croyons que les *Pastorales* ne sont pas de Paul parce que le vocabulaire est totalement différent; les erreurs combattues ne sont pas identifiables aux problèmes des églises pauliniennes; les communautés sont organisées avec une hiérarchie bien structurée qui ne cadre pas non plus avec de jeunes églises à peine fondées et nous ajoutons, à la suite de L. Cerfaux, qu'il y a lieu,

> dans les travaux de pure érudition de ne pas utiliser les Pastorales, sans la prudence voulue, soit qu'il s'agisse de définir la théologie de l'Apôtre, soit qu'on veuille reconstruire l'histoire du christianisme primitif.
>
> (CERFAUX, cité dans RIGAUX, *Saint Paul,* p. 152)

3. Conclusion

En guise de conclusion à ce bref aperçu des problèmes de l'authenticité de certaines lettres pauliniennes, nous dirions que discuter de tels problèmes ne signifie pas retrancher du «corpus paulinien» les lettres jugées inauthentiques. Dans l'antiquité le concept du droit d'auteur était bien différent du nôtre. Un auteur a très bien pu signer le nom de Paul au bas d'une lettre parce qu'il se situait dans la tradition paulinienne. Une telle signature donnait beaucoup de poids à son enseignement et il serait pour le moins imprudent de l'accuser de falsification.

Dernièrement des chercheurs américains ont traité cette question par ordinateur. A.Q. Morton a conclu que seules quatre grandes épîtres étaient authentiques — *Rm* 1 et 2 *Co* et *Ga* — peut-être *Phm*. Cette hypothèse n'a pas été retenue comme sérieuse par les exégètes car ceux-ci ont mis en doute l'exactitude des conclusions de l'ordinateur. Il est tellement facile de faire dire à cet appareil ce que l'on veut suivant les données qu'on lui confie. Tous cependant se sont dits prêts à accepter ces conclusions si la preuve était faite qu'on ait posé les bonnes questions.

Bibliographie choisie pour l'étude de certains problèmes d'authenticité

BENOIT, P., «Colossiens (Épître aux)», *SDB* 7 (1961) col. 157-170.

BENOIT, P., «Éphésiens (Épître aux)», *SDB* 7 (1961) col. 195-211.

BORNKAMM, G., *Paul, apôtre de Jésus Christ,* Genève, Labor et Fides, 1971, pp. 326-334.

HANSON, A.T., *The Pastoral Epistles,* Grand Rapids, Eerdmans, 1982.

KÜMMEL, W.G., *Introduction to the New Testament,* Nashville, Abingdon Press, 1973, pp. 264-269; 332-335; 357-363.

LESTAPIS, S. DE, *L'énigme des Pastorales de saint Paul,* Paris, Gabalda, 1976, pp. 301-311.

McARTHUR, H.K., «Computer Criticism», *ExpT* 76 (1964/1965) 367-369.

MICHAELSON, S.,
MORTON, A.Q., «Last Words: A Test of Authorship from Greek Writers», *NTS* 18 (1972/1973) 192-208.

MORTON, A.Q., «Computer Criticism: A Reply», *ExpT* 77 (1965/1966) 116-118.

MORTON, A.Q., «The Authorship of the Pauline Corpus», dans *The NT in Historical and Contemporary Perspective: Fest. G.H.C. Macgregor,* Oxford, Blackwell, 1965, pp. 209-235.

MORTON, A.Q., *The Authorship and Integrity of the NT Epistles,* Edimburg, T.&T. Clark 1971.

MOWRY, L., «The Early Circulation of Paul's Letters», *JBL* 63 (1944) 73-86.

O'ROURKE, J.J.,   «Some Considerations about Attempts at Statistical Analysis of Pauline Corpus» *CBQ* 35 (1973) 483-490.

QUERDRAY, G.,   «La doctrine des Épîtres pastorales, leurs affinités avec l'œuvre lucanienne. Remarques nouvelles», *EspVie* 88 (1978) 631-638.

RIGAUX, B.,   *Les Épîtres aux Thessaloniciens,* Paris, Gabalda, 1956, pp. 112-152.

ROBINSON, J.A.T.,   *Redating the New Testament,* Londres, Blackwell, 1976, pp. 67-85.

SPICQ, C.,   «Pastorales (Épîtres)», *SDB* 7 (1961) col. 1-73.

VAN ROON, A.,   *The Authenticity of Ephesians,* Leiden, Brill, 1974.

Troisième partie

Des clés de lecture
pour une théologie paulinienne

I
Préliminaires

Paul n'a pas écrit un traité de théologie. C'est à travers ses lettres —des écrits de circonstance — que nous pouvons découvrir ce qu'il pense de Dieu et du Christ, du monde et de l'homme. Il est donc impossible de présenter une synthèse structurée de sa pensée théologique. De plus Paul n'est pas toujours facile à comprendre. Il faut, en le lisant, se rappeler qu'il est un Juif de la Diaspora.

Si l'événement de Damas a fait de lui un chrétien, sa formation rabbinique marque quand même ses écrits. Sa foi en Christ ne remplace pas sa foi en Dieu mais elle l'éclaire. Sa lecture et son interprétation de l'événement mort-résurrection du Christ s'inscrivent au centre de l'histoire de l'Alliance entre Dieu et son peuple choisi. Sa théologie est donc christocentrique et sotériologique (ce mot vient du grec *sôter:* il signifie «sauveur»).

Pour Paul le Christ crucifié est la PAROLE que Dieu adresse au monde par le ministère de la prédication (1 *Co* 1, 18.21). Cette PAROLE

> accomplit tout ce qui s'était passé dans l'Ancienne Alliance et crée une Nouvelle Alliance en continuité avec l'Ancienne. L'apôtre est si fermement convaincu de l'unité de l'œuvre divine qu'il donne au peuple chrétien le nom même du peuple qui avait été choisi dans le passé: il nomme l'Église «l'Israël de Dieu» (*Ga* 6, 16).
>
> (MENOUD, *Jésus Christ,* p. 34)

Il est clair que lorsque Paul parle de l'œuvre salvifique de Dieu par et dans le Christ, il en parle par rapport au monde et à l'homme. Son enseignement devient alors d'une grande actualité. Il se traduit dans une éthique bien concrète qui tient compte de la foi des chrétiens et du milieu socio-culturel dans lequel ils vivent.

Dans les limites de cette introduction, il est, bien sûr, impossible de montrer les multiples aspects de la théologie paulinienne. Seules quelques notions seront présentées. Notions qui peuvent servir de clés de lecture pour comprendre un peu mieux «LE DIVIN PAUL» selon l'expression bien choisie de saint Jean Chrysostome.

Une première clé sera l'étude de l'anthropologie paulinienne parce que toute théologie suppose une anthropologie: on ne peut pas parler de Dieu sans parler de l'homme et de leurs relations interpersonnelles. Ensuite, pour saisir toute la profondeur de la pensée de Paul, il faudra voir l'influence que sa vocation a exercée sur sa vie et sa mission. Et puis trois chapitres offriront les diverses harmonisations que Paul a données à la prédication de l'Évangile qui était sa mission spécifique (1 *Co* 1,17): l'Évangile annoncé est une révélation, une libération et une vie nouvelle. Enfin la conclusion montrera l'actualité sans cesse grandissante des lettres de Paul.

II
Anthropologie et théologie

Toute théologie suppose une anthropologie. Il est donc impossible de donner une interprétation juste aux lettres de Paul si l'on oublie qu'il était d'abord un Juif de la Diaspora. Comme Juif, il a une anthropologie sémite donc totalement différente de la pensée grecque sur l'homme. À la question qu'est-ce qu'un homme? La philosophie grecque répond : un composé d'un corps et d'une âme, *l'homme a un corps*. Pour le Juif, *l'homme est un corps*. Il est une personne, un «je» vivant. Le corps, c'est l'homme tout entier, dans sa relation à Dieu, aux autres et au monde.

À cause de la différence de pensée et de langue, le vocabulaire anthropologique de l'Ancien Testament doit être clarifié. Sa traduction de l'hébreu au grec ancien — version de la Bible grecque, la *Septante* — ne rend pas toujours compte des subtilités de la langue hébraïque. Des études sérieuses de cette langue ont permis de constater que certaines images sémites ont perdu la richesse de leur couleur locale au moment du travail de traduction. Cette mise au point étant faite, il ne faut pas croire pourtant que la *Septante* n'est pas une bonne version, loin de là. D'ailleurs on sait très bien que c'est grâce à la langue grecque que le culte d'un Dieu unique a pu se répandre dans le monde. Paul lui-même a utilisé cette version de l'Ancien Testament. Avec un peu de courage, en faisant l'étude des principaux termes anthropologiques hébreux et grecs, il devient plus facile de saisir la pensée théologique de l'apôtre, pensée que l'on trouve souvent difficile parce qu'on ne se donne pas la peine d'une recherche sérieuse.

Un tableau des principaux concepts anthropologiques hébreux accompagnés de leur traduction grecque aidera, nous semble-t-il, à voir clair dans ces deux vocabulaires qui souvent nous semblent incompréhensibles. Il est à noter que pour la traduction française de l'hébreu nous avons eu recours à l'ouvrage de H.W. Wolff, *Anthropologie de l'Ancien Testament,* Genève, Labor et Fides, 1974.

1.

TABLEAU DES TERMES DE L'ANTHROPOLOGIE BIBLIQUE

A.T. hébreu   **LXX et N.T. grec**

Bâsâr (chair):   → *Sarx*: chair
   l'homme périssable   → *Sôma*: corps

Lèv (cœur):   → *Nous*: intelligence, raison
   l'homme doué de raison   → *Kardia*: cœur, volonté

Rouah (souffle):   → *Pneuma*: esprit
   l'homme doté de pouvoir

Néfesh (âme):   → *Psuchè*: âme
   l'homme en état de nécessité

    À ces mots, il serait bon d'ajouter le terme grec *suneidèsis* (conscience) que Paul utilise pour désigner la capacité intérieure de discerner le bien du mal.

2.

Bâsâr: (chair):   → *Sarx*: chair
   l'homme périssable   → *Sôma*: corps

Le terme hébreu *bâsâr* signifie la personne, le «je» sous son aspect extérieur, corporel et terrestre: «Après toi languit ma «chair», terre sèche, altérée, sans eau» (*Ps* 63,2)... C'est donc la vie humaine dans ce qu'elle a de faible et de transitoire. Sur la «chair», on ne peut compter (*Jr* 17,5-7). De plus la «chair» désigne la faiblesse de l'être humain par rapport à sa fidélité à Dieu. C'est pourquoi toute chair ira à lui avec ses péchés pour qu'il les efface (cf. Ps 65,3-4).

Pour rendre le terme hébreu *bâsar* la langue grecque a besoin de deux mots: *sarx* et *sôma*.

a)

> **Sarx** (chair): La personne tout entière, mais considérée dans sa fragilité, dans sa faiblesse et dans sa mortalité. Le «JE» en tant que séparé de Dieu et distant de lui.

Le mot «chair» est fondamental chez Paul. On peut dire qu'il passe par une gamme de sens, du neutre au péjoratif. Mais jamais il ne désigne la substance molle du corps humain sauf en 1 *Co* 15,39. La «chair» pour Paul signifie l'être humain tout entier. Le mot «chair» peut être remplacé par le mot «personne» ou par le pronom personnel «je»:

> Je trouve maintenant ma joie dans les souffrances que j'endure pour vous, et ce qui manque aux détresses du Christ, je l'achève dans ma *chair,* en faveur de son corps qui est l'Église (*Col* 1,24).

Cependant la personne est alors considérée dans sa fragilité, dans sa faiblesse et dans sa mortalité:

> J'emploie des mots humains à cause de la faiblesse de votre *chair* (*Rm* 6,19).

> Toujours nous les vivants, nous sommes livrés à la mort à cause de Jésus, afin que la vie de Jésus soit elle aussi manifestée dans notre *existence mortelle* (chair) (2 *Co* 4,11).

L'homme qui «demeure ici-bas» dans la chair (*Ph* 1,24) peut vivre uniquement une vie terrestre (*Ga* 2,20a) par contre, il peut vivre cette vie dans la foi (*Ga* 2,20b). Et ces deux modes de vie sont à la base de toutes les antithèses pauliniennes comme par exemple «chair/esprit» ou encore «Israël selon la chair/Israël de Dieu»...

Pour Paul «ceux qui vivent selon la «chair» ne sont pas chrétiens, ils sont «charnels» et «leur conduite est tout humaine». C'est ainsi qu'il y a «de la jalousie et des querelles entre eux». C'est ainsi qu'à Corinthe sa prédication a été limitée. Il n'a pas pu donner aux Corinthiens «une nourriture solide». Ils auraient été incapables de la comprendre et ils n'en sont pas encore capables:

> ... vous ne la supporteriez pas davantage aujourd'hui car vous êtes encore *charnels*. Puisqu'il y a parmi vous jalousie et querelles, n'êtes-vous pas *charnels* et ne vous conduisez-vous pas de façon tout humaine? (1 *Co* 3,2-3).

Ceux qui vivent selon la chair vivent une vie de refus à Dieu (*Rm* 7,5), une vie de révolte et d'auto-suffisance personnelle (2 *Co* 3,5). L'homme qui se laisse accaparer par les œuvres de la chair (*Ga* 5,19-21) «ne pourra pas hériter du royaume de Dieu» (1 *Co* 15,50) puisque les fruits de la chair sont des fruits de mort (Rm 7,5) alors que le fruit de l'Esprit est vie (Ga 5, 23-25).

L'attitude charnelle est celle de tout être humain qui se glorifie: celle du Juif qui met toute sa fierté dans l'observance de la loi (*Rm* 2,19-23) et celle du Grec qui espère atteindre Dieu par sa sagesse humaine, par son intelligence (1 *Co* 1,19-31). Et pourtant, les chrétiens authentiques que Paul appelle «les circoncis de cœur», sont ceux qui placent leur gloire en Jésus Christ et non dans la «chair» (cf. *Ph* 3,3). Dieu a envoyé Jésus dans notre «chair de péché» justement pour nous libérer de «l'empire de la chair» (*Rm* 8,3-4) et pour nous orienter vers lui, vers l'achèvement de notre vie (cf. *Rm* 8,3-9).

b)

> *Sôma* (corps): La personne tout entière considé-rée sous son aspect extérieur, mais capable de rela-tion avec le monde, les autres et Dieu. Le corps est signe de solidarité.
> Le «JE» en tant que fait pour Dieu, donc capable de résurrection.

Le «corps» désigne, tout comme la «chair», la personne, le «je» vu sous son aspect extérieur et visible. Le mot «corps» peut avoir un sens péjoratif de faiblesse, de péché et de mort (*Rm* 6,6.12; 7,24; *Col* 2,11). Pourtant chez Paul jamais «corps» ne signifie «cadavre».

Mais le «corps» est pour Paul la personne dans la totalité de son être et cette personne, il faut l'aimer comme soi-même (*Ep* 5,28-29). Il rappelle aux Corinthiens que leur corps est le temple du Saint Esprit (1 *Co* 6,19-20). Le corps est beau et grand puisqu'il porte en lui «l'agonie de Jésus afin que la vie de Jésus y soit manifestée» (2 *Co* 4,10). Le corps est fait pour le Seigneur et le Seigneur pour le corps (1 *Co* 6,13). Ce n'est pas par hasard que l'apôtre exhorte les Romains à offrir leur corps, c'est-à-dire eux-mêmes en sacrifice vivant:

> Je vous exhorte donc, frères, au nom de la miséricorde de Dieu, offrez vos *corps* en sacrifice vivant et agréable à Dieu: ce sera là votre culte spirituel (*Rm* 12,1).

C'est par son corps que l'homme entre en relation avec le monde extérieur, avec les autres hommes dont il est solidaire. Mais c'est aussi dans ce corps que Dieu rejoint l'homme par l'Esprit et la grâce. Le «corps» est le lieu de la relation à Dieu, relation d'intériorité où le «je» agissant et le «moi-agi» cherchent à réaliser leur unité profonde. Unité qui sera pleinement accomplie dans la résurrection alors que le corps ne sera plus étranger à lui-même ni soumis à aucun esclavage (1 *Co* 15,26. 55-56). Ce «corps» de la résurrection sera radicalement transformé (1 *Co* 15,51). Il sera donné par le Seigneur (1 *Co* 15,38).

Le corps, pour Paul, c'est aussi «le corps du Christ» mort sur la croix. Corps qui libère chaque chrétien dans le concret de son quotidien (*Rm* 7,4) en le faisant communier au pain rompu: c'est-à-dire à l'Eucharistie:

> ... le Seigneur Jésus, dans la nuit où il fut livré, prit du pain, et après avoir rendu grâce, il le rompit et dit: Ceci est mon *corps*, qui est pour vous, faites cela en mémoire de moi (1 *Co* 11,24).

Enfin, Paul emploie le mot «corps» pour désigner l'Église qu'il nomme le «Corps du Christ» dont nous sommes les membres (1 *Co* 6,15; 10,17; 12,12-17; *Rm* 12,5-8) et dont le Christ est la tête:

Tout est créé par lui et pour lui et il est lui, par devant tout, tout est maintenu en lui et il est, lui, la tête du *corps,* qui est l'Église (*Col* 1,18; *Ep* 1,22-23).

3.

Lèv: cœur, ────────▶ *Nous*: intelligence, raison
l'homme doué de raison▶ *Kardia*: cœur, volonté

Le mot *lèv* en hébreu désigne le siège de l'intelligence et de la volonté (*Dt* 29,3; 1 *S* 12,24). En effet pour un Juif, c'est par son cœur qu'il exerce ses fonctions intellectuelles de connaissance et ses fonctions volitives de décision. Le cœur est le centre de l'homme conscient. C'est le lieu de sa sensibilité, de son émotion et de son désir. Par contre le Grec établit une distinction entre «intelligence», *nous* qui nous réfère à la connaissance et à la raison alors que le «cœur», *kardia* est le siège de la volonté, des désirs et des passions.

a)

Nous (intelligence, raison): Le «JE» intérieur en tant qu'il connaît et comprend. Qu'il porte un jugement qui le mène à l'action.

Le terme *nous* signifie l'homme intérieur, le «je» intérieur, mais ne désigne pas l'intelligence en tant que faculté spéciale. Le *nous* chez Paul désigne ce qui dans l'être humain connaît et comprend. C'est l'homme en tant qu'il porte un jugement qui le mène à l'action. L'homme qui projette quelque chose et qui fait des plans. C'est justement dans cette aptitude à juger et à projeter que *nous* se distingue de *pneuma* et qu'il se rapproche de *kardia.*

Selon R. Bultmann, nous avons le plein sens du mot *nous* dans le texte de *Rm* 7,23:

mais, dans mes membres, je découvre une autre loi qui combat contre la loi que ratifie mon *intelligence...*

«*Nous*» signifie alors l'homme intérieur, le «je» réel du verset 22 qui constate que le mal et le bien sont à sa portée:

> Car je prends plaisir à la loi de Dieu, en tant qu'homme intérieur.

Le *nous* est le moi profond qui connaît et qui comprend la volonté de Dieu qui lui parle par la loi. C'est le «moi» qui est en accord avec cette volonté et qui l'adopte comme sienne mais qui est sans cesse frustré par le péché qui habite dans ses «membres». En fait on retrouve ici l'opposition «chair/esprit» dite dans d'autres mots.

b)
> **Kardia** (cœur): Le «JE» intérieur en tant qu'il veut et qu'il projette. Qu'il est mû par des sentiments.

Tout comme *nous* le cœur désigne le «je» intérieur en tant qu'il veut, qu'il projette. La différence avec *nous* se situe au niveau de l'aspect connaissance et compréhension plus accentué en *nous* alors que l'aspect volonté et effort caractérise *kardia*. Le texte de 2 *Co* 3,14-15 montre bien le parallélisme des deux termes:

> Mais leur *intelligence* s'est obscurcie! Jusqu'à ce jour, lorsqu'on lit l'Ancien Testament, ce même voile demeure. Il n'est pas levé, car c'est en Christ qu'il disparaît. Oui, jusqu'à ce jour chaque fois qu'ils lisent Moïse, un voile est sur leur *cœur*.

Le cœur est aussi le lieu où brille la lumière de Dieu afin que ses serviteurs soient témoins du Christ:

> c'est lui-même (Dieu) qui a brillé dans nos *cœurs* pour faire resplendir sa gloire qui rayonne sur le visage du Christ (2 *Co* 4,6).

Le cœur est mû par des sentiments. Le cœur désire (*Rm* 10,1). Il convoite (*Rm* 1,24). Il fait des projets (1 *Co* 4,5). Il décide (2 *Co* 2,4). Parfois il éprouve une grande tristesse (*Rm* 9,2). Par-dessus tout le cœur aime (2 *Co* 7,3; 8,16; *Ph* 1,7). Et si nous sommes fils de Dieu, c'est parce que Dieu lui-même «a envoyé dans nos cœurs l'Esprit de son Fils». Le cœur est le lieu privilégié de l'Esprit où Dieu atteint l'homme. C'est du cœur de l'homme touché par Dieu que jaillit le cri de la prière:

> Fils, vous l'êtes bien: Dieu a envoyé dans nos *cœurs* l'Esprit de son Fils, qui crie: Abba - Père! (*Ga* 4,6).

C'est aussi le cœur et non l'intelligence qui a besoin de conversion car il est «impénitent» (*Rm* 2,5). Ici la note rapportée par la *TOB* est très révélatrice: au lieu «d'impénitent», on pourrait traduire le terme grec par «inconverti».

4.
> **Rouah** (souffle) :————→ **Pneuma**: Esprit
> l'homme doté de pouvoir

Le mot hébreu *rouah* signifie souffle, esprit. C'est l'homme doté de pouvoir, c'est-à-dire de force vitale (*Gn* 7,22; *Jb* 34,14-15). En tant que créé par Dieu l'homme reçoit cette force de Dieu. C'est la puissance et l'énergie, la capacité d'action. Souvent *rouah* désigne l'énergie même de Dieu. L'esprit nouveau d'*Ez* 36,26, c'est l'Esprit de Dieu:

> Et je vous donnerai un cœur nouveau, je mettrai en vous un esprit nouveau, j'ôterai de votre chair le cœur de pierre et je vous donnerai un cœur de chair. Je mettrai *mon esprit* en vous...

Le mot *rouah* a été traduit en grec par *pneuma.*

> **Pneuma** (esprit): Le «JE» conscient de la personne. Le «JE» qui sait, qui veut et qui agit. C'est la vitalité de l'homme.

Le terme *pneuma* revient 145 fois dans les lettres pauliniennes. C'est dire son importance. Il signifie la vitalité de l'homme, le «je» conscient de la personne. Le «je» qui sait, qui veut et qui agit (*Rm* 8,16). Il peut désigner aussi l'Esprit de Dieu. Il faut, on le comprend, distinguer l'un de l'autre. C'est en *Rm* 8,16 que la distinction nous apparaît d'une façon très nette:

> Cet *Esprit* lui-même atteste à notre *esprit* que nous sommes enfants de Dieu...

Le mot esprit peut être remplacé par le mot «personne» ou par le pronom personnel puisque l'esprit ne désigne pas, lui non plus, une faculté spéciale de l'homme. On peut remarquer dans certains textes que le sens du mot s'approche du sens du mot *conscience:* «l'esprit de l'homme connaît ce qui est en lui... (1 *Co* 2,11).

La plupart du temps, chez Paul, le mot *pneuma* désigne l'Esprit de Dieu en tant que puissance agissante. C'est alors le «JE» divin à l'œuvre dans l'homme et qui permet à celui-ci de réaliser son unité intérieure. L'homme sous la mouvance de l'Esprit peut se tourner vers Dieu. Et cet esprit «envoyé par Dieu dans nos cœurs» (*Ga* 4,6) «habite en nous» (*Rm* 8,9.11). Il nous conduit et fait de nous des fils de Dieu. C'est même par lui que nous crions «Abba! Père!» (cf. *Rm* 8,14). «L'Esprit donne la vie» (2 *Co* 3,6), «il libère» (2 *Co* 3,17; *Rm* 8,2).

Paul utilise aussi l'épithète *pneumatikos* pour expliquer aux Corinthiens ce qu'est un vrai chrétien (1 *Co* 2,15). Il l'emploie pour qualifier le corps de la résurrection (1 *Co* 15,44-50).

5.

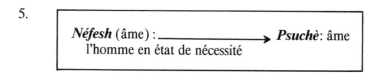

Néfesh (âme) : ⟶ *Psuchè*: âme
l'homme en état de nécessité

Néfesh est un terme hébreu très difficile à cerner. Il désigne l'homme en état de nécessité. *L'homme est néfesh, il n'a pas une néfesh.* Dans l'Ancien Testament l'homme qui a faim, qui a soif; celui qui manque de souffle, qui aspire à quelque chose qui lui manque, c'est une *néfesh:*

Comme languit une biche après les eaux vives ainsi languit mon *âme*, vers toi, mon Dieu.

Mon *âme* a soif de Dieu, du Dieu vivant; quand irai-je et verrai-je la face de Dieu? (Ps 42,2-3)

L'auteur de *Gn* 2,7 nous parle de *néfesh* vivante. On est alors tenté de traduire par le mot vie, mais *Nb* 6,6 nous parle de *néfesh* morte... Alors, on revient à notre interrogation sur le sens de *néfesh* et on est obligé de constater que le mot grec *psuchè* (âme) n'est pas le choix le plus heureux pour traduire *néfesh*.

Psuchè (âme): Le «JE» en tant qu'être vivant.

Le substantif *psuchè* ne revient que 13 fois chez Paul. Il signifie la vitalité, ce qui fait qu'un être est vivant:

... puisque pour l'œuvre du Christ, il a failli mourir; il a risqué *sa vie* afin de suppléer à ce que vous ne pouviez faire vous-mêmes pour mon service (*Ph* 2,30; cf. 1 *Th* 2,8; 2 *Co* 1,23).

Il peut désigner aussi toute la personne (2 *Co* 12,15). Le fait que Paul ait utilisé si peu le mot *psuchè* est assez surprenant puisque son correspondant hébreu est à la base de toute l'anthropologie sémitique. Par contre l'adjectif *psuchikos* se retrouve 4 fois dans la première lettre aux Corinthiens pour qualifier l'homme qui n'est pas en relation avec Dieu:

L'homme laissé à sa seule nature *(psuchikos)* n'accepte pas ce qui vient de l'Esprit de Dieu... L'homme spirituel *(pneumatikos)* au contraire, juge de tout et n'est jugé par personne (1 *Co* 2,14-15).

Pour Paul ce qui est identifié à la chair et au sang est *psuchikos* et l'homme qui vit dans cet état est incapable d'accueillir Dieu. L'homme *psychique* est fermé à tout ce qui vient de Dieu (1 *Co* 3,1.3). Le «corps animal» est destiné à la mort et pour ressusciter il doit être transformé (1 *Co* 15,44.50).

6.

> *Suneidèsis* (conscience): Ce par quoi l'homme
> entre en relation avec lui-même.

Paul est l'auteur du Nouveau Testament qui a le plus utilisé le terme «conscience» qui signifie la relation de l'homme à lui-même. La conscience, c'est ce par quoi l'homme reconnaît sa conduite comme la sienne propre. Ce n'est pas un état d'esprit mais plutôt un témoin. La conscience de Paul lui rend témoignage dans l'Esprit Saint (*Rm* 9,1) et il en est fier (2 *Co* 1,12).

La conscience est aussi un juge, c'est-à-dire qu'elle connaît en même temps le bien et le mal et la conduite à tenir par rapport à ce bien et à ce mal. Paul écrira aux Corinthiens «ma conscience ne me reproche rien» (1 *Co* 4,4).

Bien sûr la conscience a le même fonctionnement chez tous les hommes mais les ordres qu'elle donne peuvent dépendre de «l'histoire personnelle de chacun». Elle peut être faible ou forte. À ce sujet Paul nous a laissé une réflexion théologique très intéressante en 1 *Co* 8,7-13 et 10,23-33: c'est à Corinthe que l'apôtre a compris que les impératifs de la conscience doivent être suivis, mais en tenant compte «du frère plus faible pour qui le Christ est mort» (1 *Co* 8,11). L'édification du prochain doit passer avant l'intérêt personnel et la connaissance d'une conscience forte ne doit pas laisser la liberté débridée (1 *Co* 10,23; cf. 8,10).

Le seul et unique motif de tous nos actes doit être la gloire de Dieu (1 *Co* 10,31). En *Rm* 14,2 Paul revient sur la question des faibles et des forts et il va jusqu'à remplacer le mot «conscience» par le mot «foi». Pour un chrétien — un homme de foi — la conscience devient le jugement de foi.

La conscience, faible ou forte, assigne à la liberté de chacun ses limites, limites qui sont aussi celles de sa foi en ce sens qu'elles définissent l'espace intérieur duquel il peut et doit vivre sa vie d'homme justifié.

La conscience concrète de chacun fait partie de son ÊTRE-DEVANT-DIEU...

(SENFT, *1 Corinthiens,* p. 115).

Bibliographie choisie pour étudier l'anthropologie paulinienne

BULTMANN, R.,   *Theology of the New Testament,* London, SCM Press, 1965, pp. 190-227.

GRUNDY, R.,   «Sôma» dans *Biblical Theology with Emphasis on Pauline Anthropology,* Cambridge, University Press, 1976.

JEWETT, R.,   *Paul's Anthropological Terms,* Leiden, Brill, 1971.

MEHL-KOEHNLEIN, H., *L'homme selon l'apôtre Paul,* Paris, Neuchâtel, Delachaux et Niestlé, 1952.

ROBINSON, J.A.T.,   *Le corps,* Lyon, Chalet, 1966.

100

III
L'influence de sa vocation
sur sa mission

1. L'appel de Dieu, la réponse de l'homme

Un aspect important de la théologie de Paul est la compréhension de sa mission et de son apostolat. Pourtant dans ses lettres, l'apôtre ne s'attarde jamais à décrire l'événement de Damas dans ses détails. Il va droit à l'essentiel et l'essentiel pour lui, c'est d'une part l'appel de Dieu et d'autre part la réponse de l'homme. Dès la révélation de Damas Paul a été «appelé par Dieu pour annoncer son Fils parmi les païens... aussitôt, il est parti» (*Ga* 1,15-16). Il a été «envoyé par Christ pour annoncer l'évangile» par le moyen de la prédication (1 *Co* 1,17.21-23)... Une telle prédication est un engagement personnel et existentiel. Les discours persuasifs sont exclus: c'est «faible, craintif et tremblant» qu'il arrive à Corinthe. Toute adhésion au christianisme est attribuée à l'Esprit (1 *Co* 2,1-5). Il a été «saisi par Christ...» il s'élance, tout tendu vers l'avant, sans regarder en arrière (*Ph* 3,12-14). Réconcilié avec Dieu par le Christ... il est «en ambassade au nom du Christ, chargé par Dieu lui-même d'adresser au monde l'appel de la réconciliation» (2 *Co* 5,19-20).

Paul ne craint pas de situer sa propre vocation dans la lignée des grands prophètes appelés et envoyés par Dieu (*Ga* 1,15). On retrouve dans son envoi en mission le même processus que dans l'envoi d'un Moïse, d'un Isaïe et d'un Jérémie. Comme Moïse (*Ex* 3), Paul a été saisi par Dieu alors qu'il accomplissait son devoir de Juif pieux et engagé. Son devoir de pharisien irréprochable. Comme Moïse, il s'élance en avant dans une aventure extraordinaire toute remplie du mystère d'amour de Dieu (*Ph* 3,4-14). Comme Isaïe (*Is* 6,5), il se reconnaît pécheur: «Il m'est apparu à moi l'avorton» (1 *Co* 15,8). Comme Jérémie (*Jr* 1) il reconnaît l'initiative de Dieu qui l'a mis à part depuis le sein de sa mère et qui l'a appelé pour annoncer l'évangile aux païens (*Ga* 1,16).

Annonceur de l'évangile, Paul fait partie de la lignée des apôtres: il commence ses lettres en disant qu'il a été «appelé à être apôtre» (*Rm* 1,1; 1 *Co* 1,1) ou encore en se déclarant apôtre du Christ (2 *Co* 1,1; *Col* 1,1...). Apôtre, il l'est au même titre que les autres malgré son indignité (1 *Co* 15,8-10) et c'est avec passion qu'il défend l'authenticité de son apostolat (*Ga* 1,1—2,14; 2 *Co* 10-13). Paul avait-il raison de se déclarer apôtre? Avant de vérifier son affirmation, il serait intéressant de connaître le sens du mot «apôtre».

En hébreu, le nom dont le sens se rapproche le plus de l'idée que l'on se fait d'un apôtre, c'est «*shâliah*» dérivé du verbe *shâlah* qui signifie: «envoyer». En grec, c'est *apostolos* «envoyé» et *apostellein* «envoyer». Ces mots sous-entendent une idée de mandat, de mission spéciale et d'ambassade. Les mots «envoi» et «mission» sont en quelque sorte soudés l'un à l'autre et cela tant au plan profane qu'au plan religieux. Dans le premier cas, on parle d'envoi en mission diplomatique, politique, militaire, culturelle... Au plan religieux, dans la Bible, l'envoi en mission fait partie de l'histoire du salut. On retrouve cette idée d'envoi en mission même au sein de la Trinité: Dieu le Père envoie son Fils Jésus qui après son séjour sur la terre envoie l'Esprit Saint. Jésus, comme envoyé du Père, enverra ses apôtres de la même manière que le Père l'a envoyé (*Jn* 20,21). Et les apôtres à leur tour enverront des délégués (1 *Co* 4,17-18). Envoyer quelqu'un en mission, c'est donc un acte d'autorité qui confie une charge à un autre qui le remplace. Qu'en est-il de l'envoi de Paul?

C'est en *Ga* 1,6—2,14 que Paul montre qu'il a pleinement conscience d'être un envoyé de Dieu. Obligé de défendre son autorité apostolique et l'Évangile qu'il prêche, il dévoile une partie du mystérieux événement de Damas qui a bouleversé sa vie et qui a fait de lui un apôtre. Pour Paul, en effet tout part de Damas. Avant Damas, il avait une certaine connaissance de l'Évangile puisqu'il persécutait les chrétiens mais il n'acceptait pas que Jésus mort sur la croix soit le Christ. Un crucifié ne pouvait pas être le Messie, car «Maudit, quiconque est pendu au bois» (*Ga* 3,13; *Dt* 21,23).

Après Damas, Paul a changé complètement d'opinion. Non seulement il reconnaît Jésus Christ, mais il le prêche. Il a si bien compris la valeur de la croix qu'il en proclame la parole. Que s'est-il passé?

Paul lui-même nous donne la réponse:

> Mais lorsque Celui qui m'a mis à part depuis le sein de ma mère et m'a appelé par sa grâce, a jugé bon de révéler en moi son Fils afin que je l'annonce aux païens, aussitôt... je suis parti...
> (*Ga* 1,15-17).

Ce dévoilement de sa vocation nous renseigne sur l'appel qui parvient à Paul sous forme de révélation et qu'il considère comme une grâce; il nous apprend que la mission spécifique de l'apôtre est l'évangélisation des païens et que Paul a répondu à l'appel de Dieu.

Pour saisir la richesse de ces versets, il faut les replacer dans le contexte des deux premiers chapitres et les lire avec le regard de l'apôtre, au moment où il les a écrits dans les années 50. Ceci est très important. Ce regard embrasse alors toute sa vie missionnaire et la puissance de l'action de Dieu. La révélation peut laisser sous-entendre une certaine maturation après la grâce initiale; l'annonce aux païens peut désigner la finalité ultime de sa vocation. D'ailleurs de nombreuses études ont été faites sur ce sujet et la ligne d'interprétation que nous venons de donner semble la plus sérieuse, ce qui n'infirme en rien la grandeur de cette vocation exceptionnelle.

Pour Paul, la vocation apostolique est d'abord une grâce. Il le démontre en soulignant son opposition radicale à l'égard de l'Église jusqu'au jour de sa conversion. De plus, personne ne l'a influencé d'une façon quelconque dans sa prise de décision de s'engager dans l'apostolat chrétien. Si Paul insiste tant sur son passé pharisien, c'est pour montrer davantage le caractère absolument gratuit de l'appel de Dieu.

À cet appel, l'apôtre répond aussitôt sans consulter personne. L'expression «ni la chair ni le sang» signifie qu'il est parti sans tenir compte des liens familiaux voire des liens conjugaux. Ici, on peut faire l'hypothèse d'un mariage possible, mais sa femme aurait pu refuser de le suivre. Paul n'a pas tenu compte non plus de ses avantages personnels de santé, d'argent et de réputation. La révélation a été telle qu'aucune hésitation n'était possible. Il est parti pour l'Arabie — la Transjordanie actuelle — pour annoncer l'Évangile probablement aux Juifs, et puis il est revenu à Damas.

Son apostolat du début est caractérisé par la hâte eschatologique qui à l'époque était normale puisqu'on attendait le retour du Christ pour la fin du siècle. Annoncer le mystère du Christ comme Fils de Dieu devient donc pour lui son travail, sa charge spécifique. Il en répondra devant Dieu. Sa vocation a été une affaire personnelle entre Dieu et lui.

Ce n'est qu'au bout de trois ans qu'il fera une première visite à Pierre simplement pour le rencontrer. Ce sera l'occasion de connaître Jacques, le frère du Seigneur. Puis, ce sera le départ pour la Syrie (Antioche, où l'Église primitive de la Diaspora a son siège principal) et la Cilicie (Tarse, sa ville natale). Pendant quatorze ans Paul poursuivra sa mission. Très contesté par les judéo-chrétiens au sujet de sa prédication et de son apostolat, il éprouve le besoin, à un moment donné, de discuter avec les autorités de Jérusalem. En effet, il avait pris des décisions importantes: les païens convertis n'étaient pas obligés de se faire circoncire et ils étaient dispensés de toutes les prescriptions rituelles juives. Seule la foi en Christ était requise pour devenir chrétien. Cette attitude lui avait causé bien des ennuis: «il s'agissait de savoir s'il n'avait pas couru en vain» (Ga 2,2) et s'il devait continuer dans la même ligne de pensée théologique.

À Jérusalem, malgré la contestation de certains «faux-frères» fanatiques, l'autorité de l'Église, c'est-à-dire Pierre, Jacques et Jean approuvent son Évangile... et Tite n'est pas obligé de se faire circoncire. Ils reconnaissent qu'il a reçu son mandat directement de Dieu pour évangéliser les incirconcis — les païens — tout comme Pierre est chargé des Juifs. L'Assemblée de Jérusalem se termine donc dans la plus parfaite entente par une chaude poignée de mains en signe de communion.

Les deux champs d'apostolat sont respectés: pagano-chrétiens et judéo-chrétiens sont reconnus d'une manière officielle. Paul est libre de prêcher «son Évangile». La seule chose qu'on lui demande, c'est de se souvenir des pauvres — ce qu'il a eu bien soin de faire — sa grande collecte en est la preuve (Ga 2,10; 1 Co 1,16; 2 Co 8-9).

Pourtant, l'accord de Jérusalem paraphé par les notables, n'a pas réglé les problèmes chez certains personnages plus intolérants. Quelque temps après, ils viennent faire une petite inquisition à Antioche. Ils se doutent bien qu'il se passe des choses pas très «chrétiennes» selon leur opinion. C'est alors que Paul devra faire preuve de courage et de fermeté pour sauvegarder la vérité de l'Évangile. Toujours officiellement, les pratiques juives rituelles ne sont pas exigées des païens qui se convertissent, et les Juifs devenus chrétiens abandonnent eux-mêmes, peu à peu, ces pratiques compliquées. Mais l'adaptation à de tels changements n'est pas facile. Pierre lui-même, un jour se met dans son tort. Vivant depuis quelque temps à Antioche, il partageait le repas communautaire avec les païens convertis sans tenir compte des lois juives au sujet du pur et de l'impur: un Juif n'avait pas le droit de manger avec les païens... Subitement, Pierre ne fréquente plus l'assemblée chrétienne, il se tient à l'écart, pourquoi? Parce que des judéo-chrétiens de l'église de Jacques, venus de Jérusalem sont arrivés à Antioche...

Devant l'attitude timorée de Pierre, Paul est choqué. Si Pierre, après les accords de l'Assemblée de Jérusalem, est encore hésitant, rien ne va plus. Et lui, Paul n'a pas le choix, s'il veut respecter la vérité de l'Évangile. Il doit s'opposer à Pierre quoi qu'il advienne. D'ailleurs Pierre n'est pas seul à avoir déserté l'assemblée communautaire: Barnabas et plusieurs autres chrétiens l'ont suivi. Paul intervient donc devant tout le monde:

> Si toi qui es Juif, tu vis à la manière des païens et non plus à la juive, comment peux-tu contraindre les païens à se comporter en Juifs? (*Ga* 2,14)

L'apostrophe est cinglante. Paul a été très courageux. Sa prise de position montre que l'apôtre était sûr de sa mission et de son autorité dans l'Église.

En résumé *Ga* 1,6—2,14 est la preuve autobiographique de l'authenticité de l'Évangile et de l'apostolat de Paul. Ces deux chapitres sont essentiels pour comprendre sa vocation voire toute vocation chrétienne. Tout en rendant compte de l'événement de Damas, de l'apostolat qui s'en est suivi, de l'Assemblée de Jérusalem et de l'incident d'Antioche, Paul présente les critères de l'Évangile authentique et de l'apostolat véritable.

Après une brève introduction: Il n'y a qu'un seul Évangile, celui qu'il a prêché (*Ga* 1,6-10), Paul prouve par l'histoire de sa vie:

a) que sa prédication est authentique, qu'il ne doit son Évangile qu'à Dieu seul et non à des influences humaines (*Ga* 1,11-24);

b) que son autorité apostolique et la qualité de sa prédication se sont vérifiées dans ses premiers contacts avec l'église de Jérusalem (*Ga* 2,1-10);

c) que l'incident d'Antioche atteste son autorité personnelle et la validité de son Évangile (*Ga* 2,11-14).

2. L'apôtre est un serviteur

Paul a compris sa mission comme une charge, comme un service qui lui était confié (1 *Co* 9,16-17; 2 *Co* 5,18-21; cf. *Ga* 1,10). Quand il demande aux Corinthiens: «Qu'est-ce donc qu'Apollos? Qu'est-ce donc que Paul?» Il répond aussitôt «Des serviteurs par qui vous avez été amenés à la foi (1 *Co* 3,5). Paul donne alors une définition précise de l'apostolat: c'est un service (en grec: *diakonia*). Et tout au long des chapitres 3 et 4 de la première lettre aux *Corinthiens,* il développe cette idée avec clarté. La deuxième lettre, particulièrement, apportera un complément d'une grande profondeur.

Les Corinthiens n'avaient pas compris le rôle des apôtres. Ils n'avaient pas compris quelle était leur relation avec la communauté. Ils les considéraient comme des maîtres, des «chefs d'école». Face aux querelles partisanes que cela entraîne, Paul pose sa question et donne sa réponse qui replace les choses et les gens. Les apôtres sont des serviteurs de Dieu et du Christ. Leur tâche est de transmettre à d'autres le message qu'ils ont reçu: l'Évangile.

Les comparaisons utilisées par Paul sont particulièrement bien choisies: la plantation et la construction. Les apôtres arrosent, ils plantent, ils travaillent ensemble mais c'est Dieu qui fait croître, c'est Dieu qui construit l'édifice. Les services accomplis sont différents mais tous complémentaires et d'une égale nécessité. De plus quelle que soit la valeur de ces services, ceux des serviteurs sont toujours seconds par rapport à l'action divine qui est première. C'est elle qui fonde tous les services, elle les accompagne et leur donne l'efficacité énergétique. Ce

106

n'est pas l'apôtre qui donne la foi... son rôle est de dire Dieu et c'est Dieu qui, par grâce, donne la foi. L'apôtre est tout simplement un collaborateur, un intendant, donc un serviteur.

L'apôtre, le serviteur, ne se laisse jamais impressionner par les jugements et les critiques. La seule personne qui a droit de juger son travail apostolique, c'est Dieu car c'est lui qui lui a confié la charge. Ni les approbations louangeuses ni les jugements démolisseurs ne peuvent ébranler la fidélité de l'apôtre. Même sa propre conscience dans la subtilité de son auto-évaluation ne change rien à la valeur et à la qualité de son service.

Cet exposé de Paul nous fournit non seulement sa pensée sur le service apostolique, mais il situe tout apôtre — tout chrétien — face à Dieu et aux autres. La réflexion de 1 *Co* 3,10-15 montre justement combien le service de tous est nécessaire pour construire l'Église que l'apôtre appelle le «temple de Dieu». Chaque ouvrier fait son travail et il est possible qu'il ne le fasse pas toujours au goût des autres. Il est possible aussi qu'il utilise des matériaux de qualité moindre. Faut-il alors tout démolir? Sûrement pas. Dans l'Église, il faut accepter un certain pluralisme. Plutôt que de juger, condamner, tout remettre en question, il vaut mieux continuer son service. Il est d'ailleurs tellement difficile de juger si l'un ou l'autre ouvrier trahit la programmation de l'ensemble. Le Grand Entrepreneur est là et la construction se poursuit depuis deux mille ans... Des milliards d'années se sont écoulées avant la pose de la fondation, Jésus Christ.

Pour Paul, le service apostolique présente deux caractéristiques essentielles: la croix et la faiblesse. Si Dieu, dans sa sagesse, «a jugé bon de sauver ceux qui croient par la folie de la prédication» (1 *Co* 1,21) et si le contenu de cette prédication «est un Messie crucifié» (1 *Co* 1,23), le serviteur de la parole de la croix doit s'en remettre à la puissance de Dieu (1 *Co* 2,4). Et lui-même doit servir d'une manière conforme au Christ.

Le service apostolique est donc marqué par la croix. En 1 *Co* 4,9-13 Paul énumère les épreuves de l'apôtre. La liste est longue et dure. Les expressions qu'il emploie, nous placent dans une situation de combat. Comme les gladiateurs de l'époque, les apôtres sont donnés en spectacle et condamnés à mort. C'est une lutte à finir. Chez Paul, cette idée de combat apostolique a une portée théologique. Elle représente le combat entre Dieu et le monde et l'enjeu est le salut. L'arène du combat est la croix, celle du Christ, mais «à cause de lui», celle de tous les serviteurs de la parole de Dieu.

Parler de la croix, c'est parler de la faiblesse qui est l'autre caractéristique de l'apôtre. Paradoxalement elle est le signe de la force et de la puissance de cet apôtre (2 *Co* 12,7-10). Elle est le prolongement de la faiblesse de Dieu qui choisit toujours ce qui est faible pour faire son œuvre: la preuve en est Jésus crucifié qui dans sa faiblesse de la mort va permettre à la force de Dieu d'éclater en puissance de résurrection.

C'est en 2 *Co* 10-13 que nous découvrons le vrai Paul dans toute sa vérité humaine et apostolique. Il a des adversaires et il le sait depuis longtemps. Ils contestent son Évangile et son autorité. Ils le ridiculisent, ils le harcèlent, ils sèment la zizanie parmi les chrétiens. L'avenir de l'église de Corinthe est menacé. Dans de telles circonstances que doit faire un apôtre? Réagir avec vigueur, c'est son devoir. Mais sur quoi appuiera-t-il son auto-défense? Sur sa faiblesse qui justement a servi de base de critique à ces mêmes adversaires.

Après avoir repris point par point les arguments de ces derniers pour expliquer les raisons de cette faiblesse, il apporte les raisons théologiques qui la motivent: l'apôtre communie à la faiblesse des chrétiens (2 *Co* 11,29-30); l'apôtre doit être faible s'il veut être porteur de la force du Christ (2 *Co* 12,9); l'apôtre est témoin du Christ crucifié: sa faiblesse devient le signe qui actualise l'amour fou de Dieu. L'existence terrestre de Jésus n'a pas échappé au temps de la faiblesse. Ce n'est qu'après ce temps qu'il est ressuscité et que nous le serons avec lui (2 *Co* 13,3-4).

Paul combat donc avec virulence la théologie de ses adversaires qui prônaient les extases et les prodiges afin de s'éviter l'obligation de faire leur propre critique (2 *Co* 13,5). Si pour eux, un apôtre devait être un personnage impressionnant et extraordinaire, Paul leur prouve le contraire. Les signes d'un apostolat véritable sont d'un tout autre ordre:

a) sa faiblesse personnelle est le signe qu'il est un être humain (2 *Co* 13,3);

b) les fatigues, les prisons, les coups, les dangers de mort, sans compter sa préoccupation quotidienne, le souci de toutes les églises démontrent l'authenticité de son ministère (2 *Co* 11,23-28);

c) sa patience à toute épreuve est bien le signe distinctif prioritaire de la qualité de son apostolat, les autres signes sont secondaires (2 *Co* 12,12).

3. La radicalité de la mission apostolique

Pour Paul le comportement d'un apôtre — d'un chrétien en général — est d'une exigence radicale. Nous retrouvons ce qu'il pense d'une telle exigence dans la lettre aux *Philippiens*. À l'intérieur de notre introduction, nous ne verrons qu'une partie de l'enseignement de Paul à ce sujet: le passage de *Ph* 3,3-16.

Paul s'adresse aux Philippiens qui sont aux prises avec des prédicateurs d'origine juive, probablement des judéo-chrétiens (*Ph* 3,2). Ces derniers se vantent de leur ascendance juive et se conduisent en ennemis de la croix du Christ (*Ph* 3,18). Il leur présente un programme de vie en partant de sa propre vie. C'est une pédagogie de vie chrétienne et apostolique.

L'apôtre insiste sur le lien entre l'Ancienne et la Nouvelle Alliance selon l'esprit des prophéties de *Jr* 31,31-34 et d'*Ez* 36,26: la circoncision doit être faite dans le cœur ce qui signifie une conversion du cœur, une conversion intérieure. Autrement dit un changement radical de manière de penser et de se comporter. Cependant ce n'est pas la personne qui réalise ce changement, c'est l'Esprit de Dieu.

Face à ses adversaires, Paul montre qu'il pourrait lui aussi se vanter des avantages de son passé juif. Il pourrait lui aussi prétendre au salut en s'appuyant sur lui-même car il a été un pharisien zélé et fidèle, un observateur de la loi irréprochable. Pourtant depuis l'événement de Damas toutes ces valeurs humaines ont basculé «à cause du Christ». Sa vie est maintenant centrée sur la «connaissance du Christ».

La «connaissance du Christ» dont parle Paul a un sens beaucoup plus riche qu'il n'y paraît. Chez les Juifs, la connaissance se situe non seulement au plan intellectuel mais aussi au plan existentiel. Connaître, c'est remarquer, apprécier, expérimenter quelqu'un ou quelque chose. C'est entrer en relation d'intimité avec quelqu'un et cette relation se traduit par des attitudes concrètes qui portent la marque de cette intimité. Dans le cas de la connaissance de Dieu cela suppose trois choses: on sait que Dieu est créateur et sauveur, on le reconnaît comme tel; on est prêt à lui obéir. C'est toute la démarche de l'Alliance.

Dans la théologie de Paul, connaître le Christ devient un programme de vie qui conditionne l'agir chrétien par rapport au passé, au présent et à l'avenir. Le passé n'a plus d'intérêt, toutes ses valeurs deviennent relatives voire complètement nulles. L'apôtre évalue ce passé en terme de perte et de gain: perte des valeurs humaines à cause du gain de ce qui s'est produit à la Croix et qui maintenant a valeur d'action en lui. Pour le présent, une seule chose importe:

> il s'agit de le connaître, lui et la puissance de sa résurrection, et la communion à ses souffrances, de devenir semblable à lui dans sa mort (*Ph* 3,10).

Ce verset est le point central du développement théologique de Paul au sujet de la «connaissance du Christ». Connaître Jésus, c'est d'abord savoir qu'il a été un homme véritable. Qu'il a vécu en Palestine au premier siècle de notre ère avec tout ce que cela implique. Qu'il a enseigné et travaillé. Qu'il a été accusé et condamné. Qu'il est mort. Ce savoir est intellectuel, bien sûr, car il se situe au niveau de l'histoire. Mais à partir d'ici, toute connaissance intellectuelle cesse et la connaissance existentielle commence — la connaissance qui change le comportement — la vraie connaissance du Christ.

Quand Paul utilise la conjonction «et», ce n'est pas par hasard. Il veut montrer que la foi chrétienne s'appuie sur un savoir de l'événement-Jésus en tant qu'événement historique, mais ce savoir débouche sur une relation d'intimité, une relation de vie. Une telle relation est marquée par la force dynamique de la résurrection du Christ et par la communion à ses souffrances. Ce n'est pas non plus par hasard que Paul emploie de nouveau la conjonction «et» pour réunir l'événement de la résurrection à celui des souffrances et de la mort. Pour Paul ces deux événements ne font qu'un. De plus s'il nomme la résurrection avant, c'est pour faire comprendre que la puissance de vie du Christ ne peut se manifester qu'à travers les souffrances et la mort. Connaître le Christ, c'est donc faire l'expérience qu'il est vivant en nous aujourd'hui avec toute sa force dynamique — sa grâce — dans nos difficultés et nos souffrances. C'est aussi faire la même expérience en communion avec les autres. Enfin, c'est devenir semblable au Christ dans *SA* mort ce qui signifie mourir au péché et à toute prétention personnelle. Cette mort au péché commence au baptême lorsque le chrétien reçoit la vie: «c'est dans sa mort que nous avons été baptisés»; elle se terminera à la résurrection des morts lorsque «nous vivrons avec lui» (*Rm* 6,3-8).

Paul semble mettre le point final à sa leçon de vie chrétienne et pourtant non, le verset 11 «s'il est possible...» demande un nouveau développement. L'apôtre doute-t-il de la résurrection? doute-t-il de Dieu? Non, mais il doute de lui-même. La grâce de conversion intérieure est reçue de Dieu au départ, cependant au cours de la vie, le chrétien peut dire oui ou non à cette grâce. Il est donc placé dans une situation de tension entre le fait qu'il *a déjà* «été saisi» par cette grâce mais qu'il n'est *pas encore* «devenu parfait», c'est-à-dire conforme au Christ et tourné vers Dieu, qu'il lui faut encore «s'élancer pour *tâcher de le saisir*».

L'apôtre termine son enseignement sur la vie chrétienne en la comparant à une course. Comparaison particulièrement bien choisie à l'époque des jeux grecs. Le chrétien authentique doit donc aller de l'avant. Les lauriers d'un passé mort ne doivent pas l'occuper. Il doit plutôt tendre sans cesse à se libérer de lui-même pour répondre à l'appel que Dieu lui adresse en Jésus Christ.

Comme on le voit, ce passage de *Ph* 3,12-16 nous donne l'essentiel de la pensée de Paul sur l'éthique de la vie chrétienne. C'est une éthique de tension entre un «INDICATIF» et un «IMPÉRATIF»: *le chrétien doit réaliser ce qu'il EST devenu par union au Christ.*

L'INDICATIF énonce: vous êtes sauvés par la foi en Jésus Christ; l'IMPÉRATIF ordonne: soyez donc sauvés en Jésus Christ, c'est-à-dire que votre foi agisse dans l'amour; la dialectique dit qu'il n'y a pas, pour un chrétien, de foi véritable sans amour, que l'être chrétien n'existe pas authentiquement sans agir-chrétien.

(ROCHAIS, *Partager*, p. 65)

La foi au Christ qui a permis à Paul d'accueillir le salut de Dieu ne peut pas ne pas se manifester en amour. Amour de Dieu, amour du Christ et amour des autres. Et qu'est-ce que l'amour sinon la «connaissance du Christ» — au sens biblique — pratiquée dans le concret de la vie. Afin de se faire mieux comprendre, Paul s'est donné en exemple.

Cet exemple est celui d'un apôtre, bien sûr, mais il ne faut pas oublier encore une fois qu'il s'adresse à des chrétiens. Pour lui, un apôtre est un chrétien et un chrétien est un apôtre. Cela est important pour avoir une idée juste de sa christologie. Son discours sur le Christ s'adresse à tous ceux qui ont la foi. L'exigence et la radicalité de la vie chrétienne sont les mêmes que l'exigence et la radicalité de la vie apostolique. Et les deux sont semblables à l'exigence et à la radicalité de la CROIX du Christ.

4. Le thème de l'imitation

Huit ou neuf fois dans ses lettres, Paul parle d'imitation «Imitez-moi comme j'imite le Christ» (1 *Co* 11,1; 4,16; *Ph* 3,17; 2 *Th* 3,7-10; etc.). Le thème de l'imitation implique l'idée de vivre comme le Christ et si Paul s'interpose entre le chrétien et le Christ ce n'est pas par orgueil. Si l'on se rappelle toute l'importance qu'il donnait à son rôle de père de ses églises on comprendra qu'il puisse instruire ses chrétiens par son exemple.

Il ne faut pas se surprendre de cette attitude. Dans l'antiquité, en bonne pédagogie on demandait au disciple d'imiter le maître qui lui enseignait et à l'enfant d'imiter son père. Paul influencé par la mentalité de son temps se propose comme «type idéal» à ses chrétiens. Son but est «de leur montrer tout ce qu'il fait afin qu'ils fassent de même» (*Ph* 4,9) et «alors le Dieu de la paix» sera avec eux.

Puisque les chrétiens ont accepté son Évangile, il est dans la normalité des choses qu'ils suivent son exemple afin d'être fidèles à son enseignement, aussi ils doivent:

— imiter son ardeur au travail et comme lui gagner leur vie afin de n'être à charge à personne (1 *Th* 1,6; cf. 2 *Th* 3,6-7);

— imiter son comportement comme il imite celui du Christ (1 *Co* 4,16; 11,1; *Ph* 2,5).

Il faut remarquer que Paul comprend l'imitation du Christ comme une actualisation du Christ: on suit le Christ en entrant avec lui dans le mystère de sa mort-résurrection par la foi et par le baptême. Et l'on vit en communion avec lui par le moyen du mystère cultuel. Le chrétien participe par son imitation à la vie du ressuscité, c'est cette participation qui crée l'agir chrétien. Participer au mystère du Christ: c'est «vivre en

Christ», «revêtir le Christ», «grandir vers celui qui est la tête». On ne peut imiter le Christ qu'en s'appuyant sur lui par la foi. Ceci est à la base de l'imitation. Paul a vécu l'expérience de la foi et comme il est conscient de son rôle d'envoyé de Dieu, d'instrument de Dieu, il peut mettre l'accent sur cette nécessité de l'imiter comme il imite le Christ. Cette imitation entraînera les chrétiens vers le Père.

5. L'annonce de l'Évangile

La mission de Paul est spécifiquement l'annonce de l'Évangile (1 *Co* 1,17). On sait que le mot évangile — en grec: *euaggelion* — signifie «bonne nouvelle». Tantôt il désigne le contenu de cette nouvelle, tantôt sa proclamation. C'est un terme classique pour annoncer la victoire et inviter le peuple à se réjouir en célébrant des festivités et des sacrifices. Le terme «évangile» fait partie du langage courant à l'époque du Nouveau Testament. Cependant l'origine de son utilisation par les auteurs des livres néo-testamentaires se trouve non pas dans le monde pagano-hellénistique mais plutôt dans l'Ancien Testament. Nous le trouvons par exemple, dans les grandes prophéties messianiques: *Is* 52,7; 61,1; *Na* 2,1; *Ps* 68 et 96. Dans ces textes il est sous la forme du participe substantivé.

Lors donc que Paul emploie le terme *euaggelion,* il reprend un concept connu du peuple. C'est pour cela qu'il ne l'explique jamais. Ses auditeurs ou ses lecteurs le comprennent puisque dès l'origine du christianisme on a utilisé ce mot comme terme technique pour signifier la proclamation de la Bonne Nouvelle de Jésus. Toutefois on le conçoit, le mot *euaggelion* prend sous la plume de Paul une couleur locale très prononcée, car il s'agit de la proclamation de Jésus Christ lui-même en tant que réalisateur du salut.

Cependant Paul a respecté les deux sens du mot et ce n'est sûrement pas par hasard qu'il en fait un usage fréquent pour décrire le contenu du kérygme et en expliquer l'importance existentielle.

Le premier sens, le contenu du message, est mis en lumière au chapitre 9 de la première lettre aux *Corinthiens.* Ce contenu est quelque chose de très précieux puisque l'apôtre est prêt à souffrir et à renoncer à ses droits pour ne pas faire obstacle à l'Évangile du Christ:

Mais moi je n'ai usé d'aucun de ces droits et je n'écris pas ces lignes pour les réclamer. Plutôt mourir!... Personne ne me ravira ce motif d'orgueil! Car annoncer l'Évangile n'est pas un motif d'orgueil pour moi, c'est une nécessité qui s'impose à moi: malheur à moi si je n'annonce pas l'Évangile. Si je le faisais de moi-même, j'aurais droit à un salaire; mais j'y suis contraint, c'est une charge qui m'est confiée. Quel est donc mon salaire? C'est d'offrir gratuitement l'Évangile que j'annonce, sans user des droits que cet Évangile me confère. Oui, libre à l'égard de tous, je me suis fais esclave de tous, pour en gagner le plus grand nombre... (1 *Co* 9,15-19).

Le deuxième sens, la proclamation du message, devient chez Paul une réalité bien vivante: c'est Jésus Christ mort-ressuscité (cf. 1 *Co* 1,23; 15,1-11). L'apôtre n'insiste pas comme les évangélistes sur les détails de l'histoire terrestre de Jésus. Il ne répète pas non plus sa prédication. Ce qui intéresse Paul dans ses lettres ce n'est pas le Christ selon «la manière humaine» (2 *Co* 5,16). L'histoire du prophète de Nazareth est encore toute fraîche dans la mémoire des chrétiens, Paul n'a pas à la redire. Ce qu'il nous livre de sa prédication vise uniquement le mystère du Christ, autrement dit, la divinité de Jésus et l'action extraordinaire de Dieu qui sauve le monde «par la foi et pour la foi». Son Évangile est la proclamation de «la puissance de Dieu pour le salut de quiconque croit (*Rm* 1,16-17). Son Évangile est la proclamation du salut par la foi en Jésus Christ (*Ga* 2,16; cf. 1 *Co* 1,18-25). En tant qu'apôtre et missionnaire, Paul interprète pour ses églises l'événement-Jésus, c'est là l'important. Ayant lui-même fait l'expérience de Dieu et ayant discerné la vérité du Christ, son enseignement est centré sur le Christ.

Bibliographie choisie sur l'apostolat

BOUTTIER, M., «Remarques sur la conscience apostolique de St. Paul» dans *Oikonomia,* Hamburg-Bergstedt, H. Reich, 1967, pp. 100-108.

DESCAMPS, A.-L., «Paul, apôtre de Jésus-Christ», dans L. de LORENZI, *Paul de Tarse, apôtre de notre temps»*, Rome, Abbaye de Saint-Paul-Hors-les-Murs, 1979, pp. 25-59.

DORNIER, P.,   «Paul apôtre», dans *Le ministère et les ministères selon le Nouveau Testament,* Paris, Seuil, 1973, pp. 93-101.

DUPONT, J.,   «La conversion de Paul et son influence sur sa conception du salut par la foi» dans *Foi et salut selon S. Paul,* Rome, Institut Biblique Pontifical, 1970, pp. 67-88.

GRELOT, P.,   «Les épîtres de Paul: la mission apostolique», dans *Le ministère et les ministères selon le Nouveau Testament,* Paris, Seuil, 1973, pp. 34-55.

KÄSEMANN, E.,   «The Pauline Theology of the Cross», *Interpr* 24 (1970) 151-177.

KIM, S.,   *The Origin of Paul's Gospel,* Tübingen, Mohr, 1981.

MENOUD, P.-H.,   «Révélation et Tradition. L'influence de la conversion de Paul sur sa théologie» dans *Jésus-Christ et la foi,* Neuchâtel-Paris, Delachaux et Niestlé, 1975, pp. 30-40.

MUNCK, J.,   «La vocation de l'apôtre Paul», *StuTheo* 1 (1948) 131-145.

PROUDFOOT, C.M.,«Imitation or Realistic Participation? A Study of Paul's Concept of Suffering With Christ», *Interpr* 17 (1963) 140-160.

ROCHAIS, G.,   «Partager à partir du nécessaire», dans *Communauté Chrétienne* 121, (1982) 62-69.

SANDERS, B.,   «Imitating Paul: 1 Cor 4,16» *HTR* 74, (1981) 353-363.

WIDMER, G.P.,   «La parole de la croix et le langage du monde», *CommViat* 24 (1981) 109-122.

IV
L'Évangile annoncé
est une révélation

1. De la puissance de Dieu

L'exposé fondamental de Paul est *le salut par la foi au Christ*. C'est surtout en *Rm* 1,16—17 et en *Ga* 2,16 que nous retrouvons les textes-clés de sa théologie sur le salut. Nous croyons qu'il est nécessaire de les citer:

> Car je n'ai pas honte de l'Évangile: il est PUISSANCE DE DIEU pour le SALUT de quiconque croit, du Juif d'abord, puis du Grec. C'est en lui en effet que la JUSTICE DE DIEU est RÉVÉLÉE par la FOI et pour la FOI, selon qu'il est écrit: *Celui qui est juste par la foi vivra (Rm* 1,16-17).

> Nous savons cependant que l'homme n'est pas JUSTIFIÉ par les œuvres de la loi, mais seulement par la FOI en Jésus Christ (*Ga* 2,16).

Lorsque Paul parle de puissance de Dieu, il veut désigner par là l'intervention de Dieu dans le monde. L'image de la force et de la puissance divine est courante dans la Bible. De plus les exégètes et les théologiens

> ont souvent souligné que, dans l'A.T., la caractéristique de la manifestation de la force de Dieu parmi les hommes est d'être une invitation divine à une rencontre personnelle proposée à l'homme et cela en vue de son salut.

> (CAMBIER, *Justice*, p. 555)

Habituellement une telle manifestation ou intervention de Dieu s'insère dans l'histoire et c'est le mot grec *dunamis* (en français: force, puissance) qui exprime cette idée dans l'Ancien Testament grec (la *Septante*). Dans le grec profane, le même mot *dunamis* signifie aussi force et puissance mais cette force est cachée et intérieure.

> Les deux conceptions théologiques, — juive et païenne, — sont confrontées dans *Dt* 4,15-20: à l'opposé des païens à qui Dieu donne des images ou des astres à qui rendre un culte, Dieu s'est révélé à Israël en lui manifestant sa *dunamis* dans la libération d'Égypte. Celle-ci est d'ailleurs présentée dans l'histoire sainte, comme une prophétie messianique en action: elle est ainsi un gage du salut final...
>
> En décrivant le salut final comme une manifestation de la justice salvifique de Dieu, Paul s'inscrit dans une longue tradition religieuse; c'est à celle-ci qu'il faudra recourir pour expliquer le vocabulaire et la signification religieuse de ses formules...
>
> (CAMBIER, *Justice*, p. 556)

Paul affirme que le Christ par sa mort-résurrection a inauguré la Nouvelle Alliance et que c'est lui qui sauve les croyants par la puissance de vie qu'il a reçue de Dieu, son Père (*Rm* 1,2-5). Afin de mettre en lumière que le salut est réalisé par la seule force de Dieu, l'apôtre ne craint pas d'insister sur la faiblesse et le néant de l'homme que Dieu sauve (1 *Co* 1,28). Le Christ par sa mort a montré cette faiblesse de l'homme.

> Certes il a été crucifié dans sa faiblesse mais il est vivant par la puissance de Dieu. Et nous aussi, nous sommes faibles en lui mais nous serons vivants avec lui par la puissance de Dieu envers nous (2 *Co* 13,4).

Parler de puissance de Dieu et de faiblesse de l'homme, c'est donc parler d'un Dieu qui sauve un homme qui ne peut pas se sauver lui-même. On sait que l'homme aspire de tout son être à la vie, qu'il consacre tous ses efforts et toutes ses ressources dans la recherche de la vie. On sait aussi qu'il ne peut pas arriver à s'assurer lui-même cette vie, alors la seule chose qui lui est possible, c'est de s'abandonner à Dieu. La seule chose qui lui reste, c'est d'avoir foi en Dieu et par là d'avoir accès à la vie véritable.

Cependant, selon Paul pour recevoir le don de la vie, il faut ÊTRE JUSTIFIÉ, c'est-à-dire ÊTRE DÉCLARÉ JUSTE et cette déclaration est un ACTE de GRÂCE de la part de Dieu. C'est ainsi que Paul annonce un Évangile de révélation.

2. De la justice de Dieu

Pour comprendre l'expression «JUSTICE DE DIEU» — en grec *dikaiosunè Théou* — que Paul emploie très souvent, il faut partir du concept de justice légale. En *Rm* 10,5, l'apôtre reprend *Lv* 18,5: «L'homme qui accomplit la loi vivra par elle» (cf. *Ga* 3,12). Mais dans les écrits pauliniens, cette justice légale est aussitôt dépassée, car depuis que le Christ est venu, la justice fait partie d'un «autre régime» (*Ga* 3,12). Le régime de la loi — temps qui s'est écoulé depuis Moïse jusqu'au Christ — est maintenant terminé et dans la Nouvelle Alliance, vouloir établir sa «propre justice» est impensable (*Rm* 10,3s; cf. *Ph* 3,9). Une telle attitude serait même le signe d'une non-acceptation du salut de Dieu en Jésus Christ (cf. *Rm* 10,3b). Une justice qui vient de la loi, c'est-à-dire acquise par les efforts personnels de l'homme, n'existe plus. Ce n'est pas par hasard que Paul emploie toujours le verbe justifier à la forme passive quand il s'agit de l'homme (Rm 2,13; 3,20.24.28), par contre, il emploie le même verbe à la forme active quand il s'agit de Dieu (*Rm* 3,26; 4,5; 8,30.33; *Ga* 3,8...). Dans la théologie paulinienne l'élément-clé du salut, c'est de savoir que celui-ci est uniquement l'œuvre de Dieu. Savoir cela et y croire avec une confiance absolue constitue toute la vérité de la foi et de la vie chrétienne.

La notion de «JUSTICE DE DIEU» — peut être mal interprétée surtout par nous occidentaux qui sommes habitués à voir dans le mot «justice» une connotation uniquement juridique. Dès que nous pensons «justice» nous voyons aussitôt tout l'appareil judiciaire avec la salle ou la cour de justice. Un procès, un juge et des jurés sans oublier les témoins et la sentence prononcée. Or ce n'est pas le sens de l'expression «justice de Dieu» ni chez Paul ni dans l'Ancien Testament.

— Dans l'Ancien Testament

En hébreu, la racine *SDQ* — *sedeq, sedâqâh* — qui a été traduite en grec par *dikaiosunè,* n'est pas facile à cerner. Le texte le plus ancien qui nous parle des *sedaqôt de Yahvé* est le passage de Débora (*Jg* 5,11). Ces *sedaqôt* sont des actions guerrières salvatrices accomplies par Yahvé pour le salut de son peuple. Selon G. von Rad le peuple d'Israël se voit placé devant une action de son Dieu qui s'exerce en sa faveur tout en lui imposant des devoirs. Action qui sauve et qui est garantie par l'alliance établie entre Dieu et son peuple. De façon générale, on peut dire que la *sedâqâh* de Yahvé, c'est sa fidélité en acte au sein de son peuple. *Sedâqâh* pourrait donc être traduit par fidélité, sainteté, grâce, bonté, miséricorde. La prière des psaumes va dans ce sens:

> Oui, j'aime tes préceptes, par ta *justice* fais-moi vivre (*Ps* 119,40).
> À cause de ton nom, Seigneur tu me feras vivre, par ta *justice,* tu me sortiras de ma détresse (*Ps* 143,11).

Dans ces versets que nous venons de citer, celui qui prie invoque la «justice de Dieu» et chante ses louanges pour obtenir la délivrance de sa misère ou pour recevoir la vie... le salut. On peut constater qu'il n'est pas question de mériter cette justice comme une récompense. Il s'agit plutôt d'un don gratuit.

Avec le *Dt-Isaïe*, la «*sedâqâh*» garde tout son sens d'action salvifique: Yahvé est le sauveur de son peuple:

> ... ma *justice* sera là pour toujours et mon salut de génération en génération (*Is* 51,8).

Yahvé est aussi le dominateur des autres peuples, il annonce son salut:

> Écoutez-moi cœurs indomptables vous qui restez éloignés de la *justice:* ma *justice* je la rends proche et elle n'est plus éloignée et mon salut ne sera plus retardé... (*Is* 46,12-13).

En résumé le terme «*sedâqâh*» n'est pas lié avec des idées de jugement et de châtiment. Il nous situe dans l'Alliance. Il contient deux aspects: la «justice de Dieu» qui donne le salut d'une part et d'autre part la conduite qui est conforme à ce salut. Mais la justice reste l'affaire de Dieu, c'est le «domaine de Dieu» comme le disent plusieurs exégètes. «La justice de Dieu n'est pas dans l'homme, c'est l'homme qui — par l'action puissante de Dieu — est dans la justice...»

— Dans la Septante

En grec, dans la Septante, *sedâqâh* a été traduit par *dikaiosunè* ainsi qu'on l'a dit plus haut. Or ce mot, dans le grec profane, nous renvoie au droit civil et à la vertu sociale de justice. Est-il possible alors que *dikaiosunè* rende fidèlement la richesse de sens qu'avait le mot hébreu *sedâqâh?* Cette question a soulevé des controverses parmi les exégètes. Certains ont pensé que les traducteurs avaient donné le sens grec juridique au mot *sedâqâh* alors que d'autres ont soutenu que ces mêmes traducteurs avaient plutôt donné le sens large de fidélité et de sainteté au mot *dikaiosunè.* Reprendre ici, cette discussion dépasse le propos que nous tenons. Nous dirons simplement que d'une manière générale *dikaiosunè Théou* a gardé dans la *Septante* son sens proprement vétéro-testamentaire.

— Dans le judaïsme tardif

Cependant il faut noter que le mot «justice» a évolué au cours des derniers siècles avant notre ère. Les écrits extra-bibliques, apocryphes et rabbiniques lui ont donné un sens de plus en plus légaliste. Il a été employé pour désigner un comportement austère. Comportement qui deviendra, pour le Juif religieux, le but ultime de sa vie, à savoir, pratiquer la justice par l'observance de la loi et des œuvres afin d'obtenir le salut. De plus en plus l'idée de salaire et de rétribution est associée à l'observance des commandements. Le Dieu de l'Alliance devient le Dieu sévère, d'une exigence rigoureuse et l'idée de son action gratuite est dangereusement mise de côté.

À l'époque du judaïsme tardif on semble ignorer complètement l'usage de l'expression «justice de Dieu» au sens d'action divine salutaire. Même à un moment donné «faire justice» signifie tout simplement «faire l'aumône», «faire des œuvres charitables». Il reste bien sûr un lien quelconque entre l'idée du Dieu de l'Alliance et l'homme qui fait ses bonnes œuvres mais il est facile de voir que «*l'homme n'est plus dans la justice de Dieu*». Au contraire *il veut plutôt l'avoir,* l'obtenir par ses propres moyens. Et ceci est très important pour nous aider à comprendre la prédication de Paul qui va à contre-courant du judaïsme de son époque.

120

— Chez Paul

En Juif fidèle aux traditions des ancêtres, Paul emploie l'expression «*dikaiosunè Théou*» dans le même sens que les prophètes: une action salvifique de Dieu. On peut dire qu'il a entrepris une tâche gigantesque: faire comprendre au monde de son temps qu'il fallait revenir à la gratuité du Dieu de l'Alliance. La «*dikaiosunè Théou*» dont il parle en *Rm* 1,17; 3,5; 3,21s; 3,26; 10,3; 1 *Co* 1,30; 2 *Co* 5,21; *Phil* 3,9 est strictement l'action aimante de Dieu qui sauve l'homme. Cette action s'est historiquement manifestée en Jésus Christ par sa mort-résurrection. Elle se manifeste en tout homme par la foi en l'Évangile (*Rm* 1,16s).

Cependant, on ne peut pas parler de justice de Dieu sans parler en même temps de justification de l'homme. Lorsque Paul annonce l'action salvifique de Dieu, il annonce en même temps les résultats et les fruits de cette action puissante. La justification rend l'homme juste: les péchés sont pardonnés. Et l'action de Dieu confère la justice à l'homme d'une manière absolument gratuite.

Le lieu historique où Dieu a fait don de sa justice à l'homme, c'est la croix de Jésus Christ. C'est là que Dieu a rejoint l'homme, qu'il a fait avec lui une alliance définitive, qu'il a repris le dialogue. C'est pour cela que la prédication de Paul est centrée sur la parole de la croix qui est la Parole efficace — Jésus Christ — que Dieu a dite au monde pour le justifier. Cette parole de salut l'homme la reçoit de la prédication. Il l'accepte dans la foi, qui le conduit au baptême. C'est pourquoi cette parole est parfum de justification:

> nous sommes pour Dieu la bonne odeur du Christ, pour ceux qui se sauvent et pour ceux qui se perdent; pour les uns, odeur de mort qui conduit à la mort, pour les autres, odeur de vie qui conduit à la vie... (2 *Co* 2,15-16).

Nous sommes, ici, au cœur de la christologie paulinienne. C'est ici, que la sotériologie de Paul se distingue de la doctrine juive du salut: la justification n'est pas seulement un bien futur — eschatologique — mais elle est donnée «maintenant» et «gratuitement» (*Rm* 3,21). Elle sera réalisée totalement à la fin des temps:

> Si en effet, quand nous étions ennemis de Dieu, nous avons été réconciliés avec lui par la mort de son Fils, à plus forte raison, réconciliés, serons-nous sauvés par sa vie (*Rm* 5,10).

PASSAGES OÙ L'ON RETROUVE
L'EXPRESSION «JUSTICE DE DIEU»

Rm 1,17 — «C'est en lui (l'évangile) en effet que la *justice de Dieu* est révélée, par la foi, pour la foi selon qu'il est écrit: Celui qui est juste, par la foi vivra.»

Rm 3,5 — «Mais si notre injustice met en relief la *justice de Dieu* que dire? Dieu n'est-il pas injuste en nous frappant de sa colère? Je parle selon la logique humaine.»

Rm 3,21s —«Mais maintenant indépendamment de la loi, la *justice de Dieu* a été manifestée; la loi et les prophètes lui rendent hommage. C'est la *justice de Dieu* par la foi en Jésus Christ pour tous ceux qui croient, car il n'y a pas de différence...»

Rm 3,26 — «... il montre donc *sa justice* dans le temps présent afin de justifier celui qui vit de la foi en Jésus.»

Rm 10,3 — «En méconnaissant la *justice qui vient de Dieu* et en cherchant à établir la leur propre ils ne se sont pas soumis à la *justice de Dieu.*»

1 *Co* 1,30 —«C'est par lui que vous êtes dans le Christ Jésus, qui est devenu pour nous sagesse de *Dieu, justice*, sanctification et délivrance.»

2 *Co* 5,21 —«Celui qui n'avait pas connu le péché, il l'a pour nous, identifié au péché,, afin que par lui, nous devenions *justice de Dieu.*»

Ph 3,9 — «et d'être trouvé en lui, non plus avec une justice à moi, qui vient de la loi, mais avec Celle *qui vient de Dieu* et s'appuie sur la foi.»

L'unique condition requise de tout homme pour participer à cette grâce justifiante de la croix, c'est l'accueil de l'action dynamique de Dieu dans l'homme. Accueil qui se traduit par la foi en Christ (*Rm* 3,22.28; *Ga* 3,11-13) et par un agir conforme à cette foi. L'homme justifié devient une créature nouvelle (2 *Co* 5,17). Il vit une vie nouvelle, la vie de l'Esprit (*Rm* 8,2). Dans le christianisme, il n'y a qu'un seul principe de justification, c'est le Christ. La justification est une grâce.

Si Paul affirme dans d'autres passages que l'homme sera jugé par ses œuvres (*Rm* 2,5-6; 2,16; 2 *Co* 5,10), ce n'est pas qu'il se contredit. Les œuvres, c'est-à-dire l'agir chrétien, sont tout simplement l'épanouissement du don de Dieu dans la vie du chrétien.

PASSAGES OÙ L'ON RETROUVE L'EXPRESSION «ÊTRE JUSTIFIÉ»

Rm 3,24 —   «mais (tous ceux qui croient) sont gratuitement justifiés par sa grâce, en vertu de la délivrance accomplie en Jésus Christ».

Rm 3,28 —   «Nous estimons en effet que l'homme est justifié par la foi, indépendamment des œuvres de la loi.»

Rm 5,1 —   «Ainsi donc, justifiés par la foi, nous sommes en paix avec Dieu par Notre Seigneur Jésus Christ».

Rm 8,30 —   «Ceux qu'il a prédestinés, il les a aussi appelés; ceux qu'il a appelés, IL LES A JUSTIFIÉS: ceux qu'il a JUSTIFIÉS, il les a aussi glorifiés.»

Ga 3,24 —   «Ainsi donc, la loi a été notre pédagogue en attendant le Christ, afin que nous soyons justifiés par la foi.»

Si nous avons inséré *Rm* 8,30 parmi les versets où il est dit que l'homme est justifié par Dieu, c'est pour bien illustrer notre affirmation au sujet de l'emploi des formes verbales différentes: l'active pour Dieu et la passive pour l'homme. DIEU JUSTIFIE... L'HOMME EST JUSTIFIÉ...

L'expression «*justice de Dieu*» est, chez Paul,, le résumé de l'Évangile de Dieu révélé dans le Christ. L'apôtre a ainsi exprimé «la totalité de la grâce divine». Quand il veut faire la synthèse de sa réflexion théologique concernant le salut chrétien qu'il prêche déjà depuis des années, il emploie mot «évangile» et il l'explique comme la révélation de la *justice de Dieu* (*Rm* 1,16-17).

Les grandes épîtres sont les témoins de son approfondissement théologique qui d'ailleurs s'est continué tout le long de son ministère. Paul, devant les grandes controverses avec les Juifs, a longuement médité... De plus il s'est vu souvent contraint de défendre ses chrétiens contre les prétentions des judaïsants.

En *Rm* 1,16-17 Paul affirme que le salut est dans l'accueil de la «*justice de Dieu*», révélée dans le Christ. L'histoire du salut, contrairement à ce que pensent les Juifs, se divise en deux périodes mais sans discontinuité. Le temps fort — l'événement Jésus Christ occupe le centre, domine et éclaire tout — il accomplit les promesses de la première période qui était en définitive le temps destiné à prouver la nécessité du salut; il inaugure la seconde dans la nouveauté et l'inédit de la foi:

> ... la *justice de Dieu a été manifestée,* la loi et les prophètes lui rendent témoignage. C'est la *justice de Dieu* par la foi en Christ pour tous ceux qui croient, car il n'y a pas de différence: tous ont péché... mais tous sont gratuitement justifiés par sa grâce en vertu de la délivrance accomplie en Jésus Christ...
> (*Rm* 3,22-24)

La JUSTICE DE DIEU a JUSTIFIÉ PAR GRÂCE TOUS CEUX QUI CROIENT en Christ ou qui ONT CRU en l'annonce du Messie dans l'Ancien Testament. Justifiés par grâce... sauvés, qu'est-ce que cela signifie? Pour répondre à cette question voyons le sens du mot *salut*.

3. Du salut de tous les hommes

— En hébreu, le mot salut se traduit par «*yesa*». La racine hébraïque a servi à former les noms propres de Josué, Isaïe, Osée, Jésus. «*Yesa*» signifie «faire champ libre», «mettre au large». C'est sauver d'un danger extérieur ou encore d'une misère intérieure. Derrière l'idée de salut, il y a toujours, en Israël, une expérience historique vécue. Et nous pouvons dire en général que lorsqu'il est question de salut, Yahvé en est l'agent:

Moi, je suis le Seigneur, et il n'y a pas d'autre *sauveur* que moi (*Is* 43,11).

Cependant Dieu se sert parfois de médiateurs, autrement dit d'instruments qui délivrent les tribus d'Israël. La plus grande expérience de salut a été la sortie d'Égypte avec Moïse (*Ex* 15). On rencontre la même idée de délivrance en *Jg* 3,9-10... Otniel fut le sauveur des fils d'Israël. La vocation de ces hommes vient toujours d'un appel direct en vue d'une mission bien précise. De même Saül se voit octroyer la royauté par choix, mais c'est aussi par choix que cette royauté lui fut retirée (1 *S* 15,28).

Il serait bon aussi de remarquer que le verbe «*yasa*» n'est jamais employé à une forme réfléchie... *on ne se sauve pas soi-même*. Le salut est toujours accompli par un autre. Dieu sauve ou envoie un sauveur.

— En grec dans le Nouveau Testament, nous avons le mot *sôtèria* qui signifie «salut». Paul est l'auteur qui a le plus utilisé les mots «salut», «sauver», «sauveur». Nous l'avons dit plus haut l'enseignement sotériologique de Paul est très important. Ses pages les plus vibrantes se retrouvent en *Rm* 5-8. L'œuvre salvifique du Christ y est décrite avec beaucoup de profondeur. Évidemment si nous regardons de l'extérieur, l'histoire du monde se poursuit encore sous le signe de la mort, du péché, du mal en général, mais pourtant aux yeux de la foi, le monde est changé, le monde est sauvé. Dieu «s'est réconcilié le monde dans le Christ» (2 *Co* 5,19) L'homme par la foi reçue au baptême prend part à ce salut. Il devient une «créature nouvelle» (*Ga* 6,15).

C'est avec une gamme très riche de mots et d'images que les lettres de Paul nous présentent ce qu'est le salut. Il en développera les implications en terme de liberté, sainteté, justification, filiation divine, co-héritage, communion.

125

PASSAGES SÉLECTIFS OÙ L'ON RETROUVE «SALUT» OU «SAUVER»

Rm 1,16 — «...il (l'évangile) est puissance de Dieu pour le *salut* de quiconque croit, du Juif d'abord et puis du Grec.»

Rm 5,10 — «Si en effet, quand nous étions ennemis de Dieu, nous avons été réconciliés avec lui par la mort de son Fils, à plus forte raison, réconciliés, serons-nous *sauvés* par sa vie.»

1 *Co* 1,21 — «...c'est par la folie de la prédication que Dieu a jugé bon de *sauver* ceux qui croient.»

1 *Co* 15,2 — «...et par lequel (l'évangile) vous serez *sauvés* si vous le retenez tel que je vous l'ai annoncé...»

Ep 2,8 — «C'est par grâce, en effet, que vous êtes *sauvés* par le moyen de la foi; vous n'y êtes pour rien, c'est le don de Dieu.»

2 *Th* 2,13 — «...nous devons rendre grâce à Dieu pour vous... car Dieu vous a choisis dès le commencement pour être *sauvés* par l'Esprit et par la foi en la vérité.»

Comme on le voit, l'initiative du salut vient de Dieu. Il a envoyé son Fils Jésus Christ qui par sa mort-résurrection réalise son action divine salvifique. Cette action se continuera par l'envoi de l'Esprit et par la prédication des envoyés de Dieu.

Ceux que d'avance il a connus, il les a aussi prédestinés à être conformes à l'image de son Fils (*Rm* 8,29). Ce passage dit toute la bonté de Dieu. Dieu-Père va tout donner, il va tout faire; l'homme n'aura qu'une chose à faire: accueillir ce don de Dieu. On est sauvé, on est grâcié par le mystère d'amour et de justice du Père. Comment vivons-nous ce mystère? Car c'est vraiment un mystère.

La CROIX est dressée en plein centre de l'histoire du monde et il y a un sens à cette parole de la croix. Elle crie au monde que le Christ est mort pour obéir à son Père, afin d'accomplir sa volonté salvifique. C'est par la croix de Jésus, c'est par sa résurrection, «il est le premier-né d'entre les morts», que tous les hommes ont pu entrer dans le «domaine» de la justice de Dieu. Nous devons adorer, obéir, accueillir cette chance unique de reprendre un dialogue qui n'a jamais été interrompu du côté de Dieu.

Et toute cette réalité de la croix ne doit pas être vue d'une manière négative, comme souvent on l'a fait, et selon laquelle Jésus aurait été crucifié à notre place. C'est une mauvaise interprétation. La mort du Christ se situe au positif. D'abord parce que de la part de Jésus elle a été acceptée volontairement, elle est donc un acte qu'il a fait en pleine conscience EN NOTRE FAVEUR.

Jésus-homme «issu de la chair» (*Rm* 1,3) en s'insérant dans notre milieu, devait mourir comme nous, mais Jésus-Dieu s'insérait déjà dans le «domaine» divin de la justice et de la fidélité. Il pouvait alors tenir ses promesses EN NOTRE FAVEUR. Oui, nous sommes sauvés par la mort de Jésus, mais nous devons accueillir cette mort et ce salut dans notre propre vie et notre propre mort. L'idée de substitution est contraire au fait d'accueillir puisque se substituer à quelqu'un c'est «l'écarter de l'affaire et le réduire à zéro». Dans le cas de notre salut, loin d'être écartés nous sommes impliqués à fond par l'exigence d'une vie vécue *dans et par la foi*. Nous ne sommes pas non plus réduits à zéro puisque par la faveur de cette mort nous sommes devenus «fils de Dieu... et co-héritiers du Christ en ayant part à ses souffrances...» (*Rm* 8, 16-17).

4. De la foi

Dans l'Ancien Testament, il n'y a pas d'expression unique pour désigner l'attitude de foi. Ce peut être «s'attacher à quelqu'un», «fonder sa sécurité sur quelqu'un», «espérer avec confiance». La foi d'Israël est vécue en se souvenant de l'Alliance, elle est vécue à travers les relations de tout un peuple avec Dieu. La plus grande confession de foi est celle d'Abraham: sa marche avec Yahvé dans l'obéissance comme décision de vie. Une autre confession de foi du peuple hébreu, c'est sa sortie d'Égypte et sa marche dans le désert. Son but: s'arracher à l'esclavage d'Égypte pour se constituer en peuple libre en terre de Canaan. Plus tard les prophètes lui ont rappelé la nécessité de la foi; car sans la foi, «vous ne vous maintiendrez pas» dira *Is* 7,9.

Dans le Nouveau Testament grec, on a le mot *pistis* (du verbe *pisteuein)*. Ce mot signifie aussi «s'attacher à quelqu'un» et lui être fidèle. La foi est avant tout l'attitude de l'homme qui accepte le don de la justification en lui : c'est l'accueil et l'acceptation de l'Évangile, c'est-à-dire du salut de Dieu en Jésus Christ :

> La foi s'adresse à un Dieu qui intervient pour ouvrir des possibilités nouvelles; elle retient une parole qui est une action; elle s'attache à la bonne nouvelle qui est toujours l'essence dernière de ce que Dieu dit. La foi n'a point pour objet une proposition abstraite, une vérité statique. Elle a pour objet une personne et la parole qui la rend agissante. Dans la foi, par conséquent, l'aspect objectif et l'aspect subjectif sont conjoints et inséparables; les isoler l'un de l'autre c'est les dénaturer; il n'y a FOI que dans une rencontre, dans une relation qui intéresse en même temps Dieu qui parle et l'homme qui écoute. Dieu qui offre et l'homme qui reçoit, celui qui fait la promesse par la prédication de la Bonne Nouvelle, et celui à qui la promesse est faite...
> (LEENHARDT, *Romains,* p. 24)

La foi, pour Paul, doit se propager. En recevant la révélation de la foi, il a aussi reçu la révélation de sa vocation : sa conversion et sa vocation ont été un même événement (*Ga* 1, 15-16). Et la grâce d'être apôtre lui a été donnée par Dieu

> pour conduire à l'obéissance de la foi... tous les païens...
> (*Rm* 1,5)

La foi est donc obéissance au dessein de Dieu. C'est

> «la SOUMISSION INTÉRIEURE à l'égard d'une parole qui est essentiellement une promesse, pour admettre comme véridiques la parole ou la personne qui parle et qui annonce ce qu'elle va faire» (LEENHARDT, *Romains*, p. 24).

La foi est aussi confession et témoignage. Un croyant ne peut pas ne pas proclamer sa foi. Comment, en effet, croire en l'action salvifique de Dieu en Christ et ne pas confesser Jésus Christ. Le salut dépend, selon Paul, de la simultanéité des deux attitudes :

> Si de ta bouche et si dans ton cœur tu crois que Dieu l'a ressuscité des morts, tu seras sauvé. En effet croire dans son

cœur conduit à la justice et confesser de sa bouche conduit au salut (*Rm* 10, 9-10).

La foi est espérance, elle n'est pas une attitude de repliement sur soi. Au contraire, étant donné qu'elle est une relation à Dieu et aux autres chrétiens, elle fait des projections pour l'avenir. Le croyant vit dans l'espérance:

> celui qui est juste par la foi, vivra (*Ga* 3,11; *Rm* 1,17).

> Mais si nous sommes morts avec le Christ nous croyons que nous vivrons avec lui (*Rm* 6,8).

Même quand il n'y a plus rien à espérer, le croyant suit l'exemple d'Abraham: «espérant contre toute espérance... il crut» (*Rm* 4,18). Cette espérance du croyant fait l'objet de la prière de Paul.

La foi est confiance et assurance:

> Forts d'une pareille espérance, nous sommes pleins d'assurance (2 *Co* 3,12).

La confiance du croyant n'est pas une vague confiance en Dieu, elle est une certitude. Elle s'appuie sur l'événement mort-résurrection du Christ c'est-à-dire sur Dieu qui ressuscite les morts.

La foi est humilité. Si le croyant se considérait lui-même rassuré par sa foi, en oubliant qu'elle est grâce de Dieu, ce serait une illusion. La foi dont on se vante n'est plus une foi. Pour Paul, l'orgueil est un grand danger pour la foi: les Juifs ont été rejetés à cause de leur incrédulité, mais s'ils n'ont pas cru en Jésus Christ, c'est à cause de leur orgueil. Ils étaient tellement sûrs de pouvoir se sauver eux-mêmes... Cet orgueil est aussi menaçant pour les chrétiens, s'ils s'enorgueillissent de leur foi. Aussi longtemps qu'ils vivent dans leur existence terrestre, ils sont exposés à la tentation (*Ga* 6,1b). Ils ne doivent donc pas s'installer dans une fausse sécurité de la foi. Au contraire, la vigilance est de rigueur (1 *Co* 16,13).

Le croyant ne doit pas créer entre Dieu et lui le mirage de ses bonnes actions personnelles. Jamais elles ne doivent donner lieu à l'autoglorification.

En résumé on peut dire que la foi détermine toute la vie du croyant dans sa réalité quotidienne. À chaque instant, il vit de l'action divine du salut. À chaque instant il s'en remet à Dieu. Selon l'accueil qu'il fait à ce salut, sa foi peut grandir (2 *Co* 10,15) mais par contre elle peut s'affaiblir (*Rm* 14,1). La prière de l'apôtre et des rencontres appropriées peuvent aider à compléter ce qui manque à la foi (1 *Th* 3,10).

Bibliographie choisie sur la justification

BARTH, M., et al.,   *Foi et salut selon S. Paul,* Rome, Institut Biblique Pontifical, 1970.

CAMBIER, J.,   «Justice de Dieu, salut de tous les hommes et foi», *RB* 71 (1964) pp. 537-583.

CERFAUX, L.,   «Justice, justification», dans *SDB* 4 (1949) 1471-1495.

JEREMIAS, J.,   «La justification par la foi», dans *Le message central du Nouveau Testament,* Paris, Cerf, 1966, pp. 55-74.

KÄSEMANN, E.,   «La justice de Dieu chez Paul», dans *Essais exégétiques.* Neuchâtel, Delachaux-Niestlé, 1972, pp. 242-255.

KIEFFER, R.,   *Foi et justification à Antioche,* Paris, Cerf, 1982.

LYONNET, S.,   «La justice de Dieu principe de l'histoire du salut», dans *Les étapes du mystère du salut selon l'épître aux Romains,* Paris, Cerf, 1969, pp. 25-53.

LYONNET, S.,   «Gratuité de la justification et gratuité du salut» dans *Studiorum Paulinorum Congressus,* Rome, Institut Biblique Pontifical, 1963, T. 1, pp. 95-110.

QUELL, G. et SCHRENK, G.,   *Justice,* Genève, Labor et Fides, 1969.

VALLOTON, P.,   *Le Christ et la foi*, Genève, Labor et Fides, 1960.

WILLIAMS, S.K.,   «The Righteousness of God in Romans», *JBL* 99 (1980) 241-290.

ZIESLER, J.A.,   «Salvation Proclamed: IX. Romans 3,21-26», *ExpT* 93 (1982) 356-359.

V
L'Évangile annoncé
est une libération

L'Évangile que Paul annonce est une bonne nouvelle de libération. Libération du péché, de la loi et de la mort: trois puissances qui tyrannisent l'être humain tout au long de sa vie et que l'apôtre présente comme des puissances personnifiées. Elles sont les ennemies de l'homme. Elles exercent sur lui leur emprise d'une manière plus ou moins grande en contrecarrant l'œuvre salvifique de Dieu. L'homme étant un être libre, il peut faire l'option pour ou contre Dieu.

Comme pécheur, l'homme peut se situer dans une attitude négative et dire «non» à l'alliance que Dieu veut établir avec lui. Il est alors séparé de Dieu. Face à la loi, il peut se comporter comme un esclave s'il l'interprète au pied de la lettre. Alors la loi l'asservit. Face à la mort, il est totalement impuissant car elle est un gouffre béant qui l'engloutit inévitablement. Il en a peur et il vit dans l'angoisse et l'insécurité.

Mais le Christ par sa mort-résurrection a vaincu ces trois ennemis. Maintenant, il agit en l'homme par son Esprit pour le libérer (*Rm* 8,2). Le péché devient alors le lieu de la grâce; l'esprit de la loi est remplacé par l'esprit de liberté et d'amour; la mort est le passage qui conduit à la résurrection et à l'union avec le Seigneur.

1. Libération du péché

Lorsque Paul parle de péché, il met l'accent sur la puissance universelle du mal plutôt que sur les péchés particuliers faits par les hommes. Paul n'emploie pas le mot péché au pluriel sauf dans des citations. Pour lui le péché (en grec: *amartia*) est une force irrésistible qui pousse l'homme vers le mal, vers la haine, vers la mort (*Rm* 5,12; 6,6; 6,11; 7,13). Pour désigner les péchés particuliers Paul utilise en général le même vocabulaire que la *Septante*: violation de la loi, transgression, faute, erreur, impiété, iniquité.

C'est dans l'épître aux *Romains* plus particulièrement que Paul exprime sa pensée sur la puissance du péché considérée comme force de mal. Pour Paul, le péché est une puissance de mal qui est entrée dans le monde par le péché d'Adam, le premier homme. Mais le premier homme ne doit pas pour autant être considéré comme «premier agent» du péché, il serait plus exact de dire qu'Adam en est le «premier véhicule». En effet, c'est le péché lui-même qui fait que chaque homme est pécheur (*Rm* 5,19). Depuis Adam, le péché a proliféré (*Rm* 5,20). Depuis Adam, cette puissance de mal règne sur le monde et habite le cœur des hommes: tous ont péché (*Rm* 5,21). Paul explique le péché en utilisant un langage symbolique, il montre

> que le mal a un passé, que chaque homme le trouve déjà là avant lui, et que tout homme recommence le mal à partir de ce mal déjà là, à raison de la puissance du péché, qui est entrée dans le monde par le premier péché, et qui se multiplie dans le monde par chaque péché (*Rm* 5,20).

> (ROCHAIS, *Nouveau Dialogue*, p. 12)

Cette force de mal atteint l'être humain comme un virus destructeur, elle en fait un esclave vendu à son pouvoir (*Rm* 6,17; 7,14). Et le lieu privilégié où elle travaille, c'est justement l'homme que Paul nomme souvent «chair», c'est-à-dire le «JE» en tant que séparé de Dieu et distant de lui (1 *Co* 3,2-3). Malheureusement, c'est sur cette base fragile et transitoire que le pécheur bâtit sa vie. Pourtant le transitoire, comme le dit Bultmann, ne peut durer, il doit périr avec le transitoire. Mais l'on sait que le péché est un habile séducteur (*Rm* 7,11), il fait tout pour faire croire à l'homme que s'il vit selon sa convoitise il vivra vraiment et sera heureux. L'homme souvent se laisse duper et pactisant avec le péché, il s'enlise de plus en plus. Alors, se révèle, aux yeux de la foi, la colère de Dieu (*Rm* 1,18). Cette expression surprenante ne signifie pas autre chose que l'amour de Dieu en ré-action contre le mal. Dieu n'est pas en colère au sens où nous l'entendons, c'est plutôt l'homme révolté contre Dieu qui perçoit l'amour de ce Dieu comme une opposition, un refus radical. C'est une sorte de projection que l'homme fait. Le péché sépare l'homme de Dieu et il ne peut être payé que par la mort (*Rm* 6,23).

Le péché est en somme le grand problème de la condition humaine. Comment alors à travers le péché se réconcilier avec Dieu et reprendre la relation et le dialogue avec lui? La solution est dans l'Évangile de libération annoncé par Paul. L'homme incapable par ses propres forces de se libérer du péché doit s'en remettre à Dieu. En effet Dieu seul, dans sa miséricorde est capable de rétablir le contact par l'événement mort-résurrection du Christ. Depuis cet événement, le Christ habite dans le cœur du chrétien et lui communique sa force divine pour contrer la puissance maléfique du péché (*Ga* 2,20; *Rm* 5,15-21).

> Grâce au Christ l'homme peut se libérer de cette puissance du péché et accueillir en lui le don de la justification (*Rm* 5,18) qui débouchera sur la vie nouvelle du Royaume (*Rm* 6,4-5). Selon Paul, tout homme porte en lui ces deux forces: le péché d'une part, le Christ d'autre part... Seulement ces deux forces ne sont pas égales... la puissance du Christ surpasse de beaucoup la puissance du péché et du mal. En optant pour le Christ, l'homme s'engage donc dans un processus de libération par rapport aux puissances de mal et de mort en lui. Par la grâce du Christ, les forces du bien dans l'homme et dans l'humanité vont finalement triompher des forces du mal. Dans le Royaume, la libération sera complète (cf. 6,9-10).

> (AUDET, *Servitude*, p. 466)

2. Libération de la loi

La loi, dans le judaïsme tardif de même que pour Paul, désigne la loi du Sinaï — le décalogue — mais aussi tout le Pentateuque, les Psaumes et les prophètes (*Rm* 3,10-19; 4,13-16). La loi est donc tout l'ensemble du système socio-religieux qui règlemente la vie des Juifs dans les moindres détails. Paul ne fait pas de distinction entre les commandements cultuels (*Ga* 4,10; 5,3) et les exigences éthiques (*Rm* 7,7-9). Pour lui la loi, c'est la totalité des exigences légales données par Dieu au peuple d'Israël. Et ces exigences supposent une obéissance bien concrète de la part de l'homme. Cependant Paul parle de la loi uniquement en tant que chrétien. Ce qu'il disait en tant que Juif — avant sa conversion — il ne le dit plus.

Il est sûr que Paul a beaucoup réfléchi sur la loi. Il est sûr aussi que les exposés qu'il nous a laissés ne sont pas faciles à comprendre. Parfois ils semblent même contradictoires. D'une part il affirme que la loi est sainte et bonne (*Rm* 7,12.16) qu'elle vise le bien de l'homme. D'autre part à cause de la force de mal qui est en lui, elle est devenue le moyen dont se sert le péché pour mener l'homme à la mort (*Rm* 7,10-11). La loi a mis en évidence la puissance du péché, elle l'a fait connaître à l'homme et parce qu'elle est une puissance extérieure, elle n'a pas le dynamisme nécessaire pour combattre à armes égales avec le péché qui, lui, exerce son pouvoir à l'intérieur (*Rm* 7,1-10). Elle a donc multiplié ses tentatives pour arracher le pécheur à son triste sort : elle s'est ramifiée en une multitude de préceptes plus ou moins exigeants. Elle a aussi exacerbé l'homme et est devenue pour lui une malédiction (*Ga* 3,10.13) le réduisant en esclavage (*Ga* 4,3).

En fait dans le plan de Dieu, le régime de la loi a été provisoire. La loi a exercé un rôle de pédagogue, c'est-à-dire de simple surveillant pour préparer la venue du Christ. Devant l'échec de la loi, la libération apportée par le Christ se manifeste avec plus d'éclat. C'est donc par l'événement mort-résurrection du Christ que le chrétien est libéré de l'esclavage de la loi : il est passé du régime de la loi au régime de l'Esprit.

> Mais à présent, affirme Paul, nous avons été dégagés de la loi, étant morts à ce qui nous tenait prisonniers, de sorte que nous servons sous le régime nouveau de l'Esprit et non plus sous le régime périmé de la lettre (la loi) (*Rm* 7,6). Contrairement à la loi, l'Esprit n'est pas un principe extérieur à l'homme lui dictant des choses à faire : il est un dynamisme de vie et d'espérance en l'homme. Le croyant possède en lui l'Esprit du Christ (*Rm* 8,9). Cet Esprit qui habite en lui est dynamisme de vie (*Rm* 8,2), principe de sanctification (*Rm* 8,4) et de paix (*Rm* 8,6), germe de résurrection (*Rm* 8,11) source de liberté (*Rm* 8,14-17), fondement de son espérance (*Rm* 8,23-24) et gage de sa glorification (*Rm* 8,26-27). L'Esprit s'avère donc pour le chrétien le facteur essentiel de sa libération par rapport au régime oppressif de la loi et la source de sa vie nouvelle dans la liberté et l'amour (cf. *Ga* 5,13).

Depuis le Christ, le croyant n'a plus à opérer son salut à coup d'observance et d'obéissance à des lois. La loi a définitivement perdu son caractère d'absolu: elle ne sera jamais plus un instrument de salut. Désormais, l'homme est libéré du juridisme, du formalisme et des contraintes légalistes. Son salut est affaire de foi au Christ, d'accueil du don de l'Esprit, de docilité aux impulsions de l'Esprit...

(AUDET, *Servitude*, pp. 467-468)

3. Libération de la mort

La mort est la puissance la plus aliénante qui opprime l'être humain et qui inévitablement a raison de lui. Elle règne en souveraine sur toute l'humanité (*Rm* 5,14.17). Paul parle beaucoup de la mort. Cependant il n'est pas facile de saisir le sens qu'il donne au mot mort. Bien sûr la mort désigne pour lui la mort physique ou biologique, mais elle désigne surtout la mort spirituelle — l'éloignement de Dieu — la perdition. Elle est attribuée au péché (*Rm* 5,12), péché d'Adam et péché des hommes, qui place l'être humain dans une existence ennemie de Dieu. Une existence fermée et égocentrique (*Rm* 7,5.6.13). La mort est le salaire du péché, (*Rm* 6,23), elle est un jugement et une condamnation (*Rm* 5,16).

Pourtant cette fin tragique, fatale et sans issue, qui attend l'homme devient espérance pour le chrétien à cause de la mort-résurrection du Christ. Le Christ, par sa mort a vaincu la mort, et il a brisé son pouvoir asservissant. Il a aboli son règne (*Rm* 6,9). Et pour montrer que l'Évangile qu'il prêche est une libération de la mort, Paul oppose Jésus Christ à Adam. Par un seul homme — Adam — la mort a atteint tous les hommes parce que tous ont péché. Par la faute d'Adam la multitude a subi la mort. Combien plus, par le Christ, la vie — la grâce — s'est répandue en abondance sur cette même multitude, et par Jésus Christ les chrétiens règneront dans la vie, recevant l'abondance de la grâce (*Rm* 5,15-17).

En effet, écrit Paul, Dieu le Père «donnera la vie à vos corps mortels par son Esprit qui habite en vous (*Rm* 8,11). Dieu qui a ressuscité le Christ par son Esprit nous fera déboucher nous aussi sur la vie glorieuse du Royaume (cf. *Rm* 6,4-5). Et parce que l'homme possède en lui, dès cette terre, ce germe de résurrection, il est en quelque sorte déjà libéré de l'oppression du pouvoir de la mort. Mais à la fin des temps, la mort elle-même sera détruite; elle sera engloutie dans la victoire (1 *Co* 15,54). Ce sera la libération totale et définitive pour tout homme uni au Christ.

(AUDET, *Servitude*, p. 472)

Bibliographie choisie sur la libération

AUDET, L., «Servitude et libération selon saint Paul», *Prêtre et Pasteur,* (1975) 465-472.

BARROSSE, T., «Death and Sin in St. Paul's Epistle to the Romans», *CBQ* 15 (1953) 438-458.

BENOIT, P., «La loi et la croix d'après saint Paul», dans *Exégèse et Théologie* T.2, Paris, Cerf, 1961, pp. 9-40.

BOISMARD, M.-E., «La loi et l'Esprit», *LV* 21 (1955) 65-82.

BRUCE, F.F., «Paul and the Law of Moses», *BJRL* 57 (1975) 159-279.

CAMBIER, J., «Péchés des hommes et grâce de Dieu», dans *L'évangile de Dieu selon l'épître aux Romains,* T. 1, Paris-Bruges, Desclée et de Brouwer, 1967, pp. 195-338.

DUNN, J.D.G., «Salvation Proclaimed: VI. Romans 6, 1-11: Dead and Alive», *ExpTimes* 93 (1982) 259-264.

FEUILLET, A., «Loi de Dieu, loi du Christ et loi de l'Esprit d'après les épîtres pauliniennes. Les rapports de ces trois lois avec la loi mosaïque», *NT* 22 (1980) 29-65.

FEUILLET, A., «Le règne de la mort et le règne de la vie (Rm 5, 12-21)», *RB* 77 (1970) 481-521.

FEUILLET, A., «Loi ancienne et morale chrétienne d'après l'épître aux Romains», *NRT* 92 (1970) 785-805.

FRUTIGER, S., «La mort et puis... avant? 1 Co 15», *EtudTheoRel* 55 (1980) 199-229.

GREENWOOD, D., «Saint Paul et la loi naturelle» *BTBib* 1 (1971) 271-288.

GRELOT, P., *Réflexions sur le problème du péché originel,* Paris, Cerf, 1968.

LÉON-DUFOUR, X.,*Face à la mort, Jésus et Paul,* Paris, Seuil, 1979.

LYONNET, S., *Les étapes du mystère du salut selon l'épître aux Romains,* Paris, Cerf, 1969, pp. 55-111; 139-160.

ROCHAIS, G., «De l'affaire Jésus à l'affaire Guillemin», dans *Nouveau Dialogue* 49 (1983) 3-14.

VI
L'Évangile annoncé
est une vie nouvelle

Si l'Évangile annoncé par Paul est bonne nouvelle de salut et de libération, il est aussi vie nouvelle pour le croyant:

> Par le baptême, en sa mort (celle du Christ) nous avons donc été ensevelis avec lui, afin que comme Christ est ressuscité des morts pour la gloire du Père, nous menions nous aussi une vie nouvelle (*Rm* 6,4).

Pour montrer la nouveauté de cette vie, Paul emploie deux expressions qui reviennent fréquemment dans ses lettres: «en Christ» et «avec Christ». Ces expressions ont retenu l'attention des exégètes et des théologiens. Elles ont fait l'objet d'études importantes comme celles de A. Deissmann, E. Lohmeyer, A. Schweitzer, R. Bultmann. En français, J. Dupont et M. Bouttier nous ont donné deux ouvrages majeurs sur le sujet.

Les expressions «en Christ» et «avec Christ», tout comme l'anthropologie paulinienne, sont des clés de compréhension de la théologie de l'apôtre. D'une manière globale nous pouvons dire avec la plupart des exégètes que Paul utilise «en Christ» lorsqu'il s'agit de la vie actuelle et «avec Christ» lorsqu'il s'agit de la vie après la mort. Cependant les études se poursuivent et Dupont dans son ouvrage souligne que «avec Christ» peut signifier l'union avec le Christ dès la vie présente. Cette union est réalisée dans le baptême (*Rm* 6,1-10).

1. «En Christ»

La formule «en Christ» a été créée par Paul lui-même (selon M. Goguel; cf. BOUTTIER, M., «En Christ», p. 25). En dehors des écrits pauliniens, on ne la retrouve à peu près pas. Par contre c'est 165 fois, peut-être 168 (il y a certaines incertitudes pronominales) que l'expression est utilisée par Paul.

Tableau montrant la fréquence d'emploi de «en Christ»

1 *Th*	7 fois	*Ph*	21 fois
2 *Th*	3 fois	*Col*	18 fois
Ga	9 fois	*Ep*	35 fois
1 *Co*	23 fois	*Phm*	5 fois
2 *Co*	13 fois	*1 Tm*	2 fois
Rm	21 fois	*2 Tm*	7 fois

Quel est le sens de cette formule? Qu'est-ce que Paul veut signifier en l'employant? À première vue, il semble faire référence à la personne du Christ ressuscité et la préposition «en» pourrait nous faire penser à une certaine communion avec le Christ. Mais n'anticipons pas, voyons plutôt les opinions des différents chercheurs:

— A. Deissmann a une conception *mystique* de l'expression. Pour lui, «en Christ» est au cœur de la pensée paulinienne. C'est une centrale d'énergie et de vie. Toutes les lettres sont éclairées par cette lumière merveilleuse qui provient de la propre expérience mystique vécue par l'apôtre sur le chemin de Damas. À partir de ce moment privilégié, la pensée de Paul s'est transformée. De Juif, pharisien, docteur de la Loi, Paul devient l'apôtre de la réconciliation.

Paul vit «*en Christ*» comme dans un lieu. «De même que l'atmosphère que nous respirons est en nous et que nous sommes en elle, ainsi en est-il de la présence du Christ chez l'apôtre...» (Deissmann cité par Bouttier, p. 7).

— Goguel a suivi Deissmann, pour lui aussi Paul est un mystique en communion avec le Christ et l'Esprit.

Cette position «mystique» a eu des répercussions du côté catholique. À partir des images forgées par Deissmann: «être plongé... baigné...

dans une atmosphère spirituelle», certains auteurs sont devenus les défenseurs d'un mysticisme exagéré. Nous y reviendrons plus loin.

— E. Lohmeyer s'est élevé contre Deissmann. Selon lui «il n'y a pas trace chez Paul d'un être «*en Christ*» en soi. «*En Christ*» détermine tout simplement la condition du chrétien dans le monde, sa condition bien concrète, son comportement».

— A. Schweitzer trouve dans «en Christ» un *sens mystique et eschatologique.* Pour lui l'expression est fondamentale. «L'idée essentielle de la mystique paulinienne s'énonce ainsi: je suis «*en Christ*». *En lui* mon être est libéré de ce monde coupable et périssable. Il appartient déjà au monde transfiguré». (Ici Schweitzer rejoint Deissmann). Là où il s'en dissocie, c'est dans le sens «local». Il n'accepte pas les représentations spaciales de «*en Christ*». Pour résumer sa pensée: vivre «*en Christ*» c'est «être entraîné dans les événements déclenchés par la venue du Messie qui ne se dénoueront qu'au jour de la parousie, c'est mourir et ressusciter avec lui». Mais Schweitzer va plus loin, il finit par dire que le «croyant perd son identité propre de créature».

— R. Bultmann interprète *en Christ* d'une *manière existentielle:* l'expression signifie tout simplement «chrétien». Pas de mysticisme, pas question d'eschatologie, c'est la vie de foi *en Christ.*

Nous pourrions allonger la liste des différentes opinions. Mais nous croyons que les principales ont été données.

Selon Bornkamm, — qui suit la ligne de pensée bultmanienne — «la formule *en Christ* rencontrée fréquemment chez Paul fait partie des affirmations concernant «l'être» même de la nouvelle existence des croyants». Mais il faut tenir compte des différents contextes.

Le sens le plus simple c'est celui de «*chrétien*» ou «en tant que chrétien». Paul décrit alors le fait d'être membre de l'Église ou le comportement chrétien.

Parfois l'expression a un sens plus parfait. Elle signifie alors la réalité nouvelle des croyants. Elle résume ce qui s'est passé au moment où le croyant a reçu la foi et ce qui fonde le salut:

> «*En lui*»... Dieu a témoigné son amour... (*Rm* 8,39).
>
> «*En lui*», les croyants sont appelés, justifiés, réconciliés, libérés, sanctifiés (*Rm* 8,30).

«*En lui*», Paul se glorifie de son œuvre basée sur l'événement du salut (1 *Co* 15,31).

«*En lui*», Paul sait que l'œuvre des croyants n'est pas vaine dans le Seigneur (1 *Co* 15,58).

«En Christ» est donc une formule paulinienne qui situe le chrétien dans le grand contexte de l'histoire de salut. C'est «en Christ» que la nouvelle Alliance de Dieu avec les hommes s'est réalisée, qu'elle s'est accomplie. «En Christ» c'est le lieu de rencontre (mais non pas dans le sens de Deissmann) de Dieu avec les hommes. C'est par la foi et dans la foi que cela se fait. Un chrétien qui vit «en Christ» ne vit pas dans le rêve, dans une atmosphère éthérée... au contraire, il vit les deux pieds bien à terre, souvent pris dans de multiples problèmes. Il doit malgré cela être «en Christ», c'est-à-dire garder sa foi, et continuer sa marche de la vie, en aimant Dieu et les autres, car la vie chrétienne est définitivement tournée vers les autres.

Au cours des siècles la formule «en Christ» a été interprétée de bien des manières. À certains moments de l'Église, elle a été marquée d'un certain dogmatisme. De siècle en siècle les théologiens et les moralistes y ont eu recours. Avec les uns elle a perdu sa spontanéité paulinienne; avec les autres elle est devenue une formule banale; souvent elle a été marquée par un mysticisme exagéré.

Pourtant «en Christ» doit rester une formule simple qui montre l'appartenance au Christ. Cette appartenance se manifeste en situation existentielle. L'agir de l'homme devient alors chrétien:

> si quelqu'un est en Christ, il est une créature nouvelle (2 *Co* 5,17).

> ... considérez que vous êtes morts au péché et vivants en Jésus Christ (*Rm* 6,23).

L'agir chrétien lui-même prend des dimensions apostoliques:

> instruisant chacun en toute sagesse, afin de rendre chacun parfait en Christ (*Col* 1,28).

L'expression «en Christ» est aussi un signe d'union entre les membres de l'Église, tous sont égaux:

> Il n'y a plus ni Juif, ni Grec... car vous êtes tous un en Christ (*Ga* 3,28).

141

Elle est un signe de communion au Christ, à l'Esprit et au Père:

> Il n'y a donc, maintenant, plus aucune condamnation pour
> ceux qui sont en Jésus Christ, car la loi de l'Esprit qui donne la
> vie les a libérés du péché et de la mort... Elle en fait des fils
> adoptifs du Père... conduits par l'Esprit de Dieu...
> (cf. *Rm* 8, 1-2.14).

2. L'éthique paulinienne

Parler de vie nouvelle «en Christ», c'est parler de vie chrétienne et
d'éthique chrétienne. Nous avons déjà dit un mot sur le sujet en traitant
de la *radicalité de la mission apostolique* (cf. p. 111), mais nous croyons
nécessaire d'y revenir car l'éthique chrétienne selon Paul n'est pas
comme beaucoup le croient un système de lois et de préceptes à observer
en vue d'avoir un comportement chrétien. Paul n'a rien d'un légaliste.
Au contraire, il est l'homme des circonstances et des situations
concrètes. L'homme des conciliations et des compromis. L'homme de
l'adaptation et du discernement.

Devant les problèmes que lui posent ses églises, il se montre parfois
exigeant, c'est sûr, mais le plus souvent, il nuance ses conseils. À certains
moments, il redonne l'enseignement du Christ: «À ceux qui sont mariés,
j'ordonne, non pas moi, mais le Seigneur...» (1 *Co* 7,10). Parfois, il fait
ses propres recommandations: «aux autres, je dis, c'est moi qui parle et
non le Seigneur...» (1 *Co* 7,12). Ne voulant pas que la foi chrétienne
serve de prétexte à une libération hâtive, de type illuministe, il prescrit de
ne pas changer de condition de vie au moment où ils deviennent
chrétiens: le Juif circoncis ne doit pas avoir honte d'être Juif; le Grec
non circoncis n'a pas à se faire circoncire; l'esclave n'a pas à s'affran-
chir... tout cela importe peu devant Dieu (1 *Co* 7,17-24). Par contre, il
sait discerner que le célibat peut être bon pour lui et ne pas convenir à
tous (1 *Co* 7,25-38). Il consent même à faire un compromis dans une
affaire de viandes sacrifiées: les Corinthiens peuvent en manger, car
après tout s'ils en mangent, ils ne gagnent rien et s'ils n'en mangent pas,
ils ne manquent de rien (1 *Co* 8,8). Seulement, Paul les avertit d'être
attentifs à ne pas scandaliser les faibles en usant d'une telle liberté (1 *Co*
8,9-13).

L'éthique de Paul n'est basée sur aucune loi, mais uniquement sur la foi en la grâce de Dieu. Et ce qui importe pour lui, c'est d'avoir la foi et de vivre cette foi. Il y a donc deux volets dans les écrits pauliniens concernant l'éthique qu'il préconise:

1. *Avoir la foi* en la mort-résurrection du Christ, en l'action justificatrice de Dieu; en l'Esprit qui libère: «Il n'y a donc, maintenant, plus aucune condamnation pour ceux qui sont en Jésus Christ. Car la loi de l'Esprit nous a libérés de la loi du péché et de la mort. Ce qui était impossible... Dieu l'a fait...» (*Rm* 8,1-3);

2. *Vivre la foi* en se considérant comme «morts au péché et vivants pour Dieu en Jésus Christ» (*Rm* 6,11); vivre sa foi «en se laissant conduire par l'Esprit»... «Si nous vivons par l'Esprit, marchons aussi sous l'impulsion de l'Esprit»... (*Ga* 5,18-25). Dans ces versets Paul est très clair: par la foi, le chrétien a la possibilité de vivre une vie nouvelle par l'Esprit et cette vie nouvelle doit être maintenue par une conduite sous l'impulsion de l'Esprit.

Ces deux volets de la vie de foi où s'exprime l'éthique paulinienne ont été découverts par les exégètes qui ont été amenés à considérer la pédagogie de Paul lorsqu'il livre son propre message moral. Il utilise un procédé intéressant: dans un premier temps, il affirme l'événement du salut en employant des verbes au mode **indicatif** et dans un deuxième temps, à partir de cela, il conseille, il exhorte, il ordonne en employant des verbes au mode **impératif**. Cette dialectique de l'**indicatif** et de l'**impératif** est un trait caractéristique de l'éthique paulinienne. Voici quelques exemples:

> Tous en effet, vous *êtes* de la lumière, fils du jour...
> Donc, *ne dormons pas... soyons* vigilants et sobres...
> (1 *Th* 5,5-6)

> *Purifiez-vous* du vieux levain pour que vous deveniez une pâte nouvelle, puisque vous *êtes* sans levain... (1 *Co* 5,7)

> Puisque nous *sommes morts* au péché... *considérez* que vous êtes morts au péché et vivants pour Dieu en Jésus Christ (*Rm* 6,2-10 / 11-14).

> C'est pour que nous *soyons libres* que Dieu nous a libérés. *Tenez* donc ferme et *ne vous laissez* pas remettre sous le joug de l'esclavage... (*Ga* 5,1)

... appelés à la liberté... Mais par l'amour *mettez-vous* au service les uns des autres (*Ga* 5,13).

Si nous *vivons* par l'Esprit, *marchons* aussi sous l'impulsion de l'Esprit (*Ga* 5,25).

Comme on peut le voir dans ces passages et dans beaucoup d'autres, l'éthique de Paul est marquée par la perspective dans laquelle il a situé le temps de la foi entre l'inauguration et la consommation du salut. Avec l'événement mort-résurection du Christ, le processus du salut du monde est engagé, mais le salut sera réalisé en chaque chrétien en autant que chacun sera conforme au Christ afin d'être sauvé. On possède le bien du salut, mais il faut le mettre en valeur dans notre existence personnelle. L'éthique paulinienne définit la situation des chrétiens face aux problèmes de la vie «en Christ», face au péché et face à la mort. Elle définit aussi l'agir chrétien par rapport à Dieu et au prochain.

On peut aussi exprimer la même idée en présentant la vie chrétienne entre un salut *déjà-là*, mais *pas encore* achevé dans l'existentiel de chacun. C'est pour cela qu'on a qualifié l'éthique paulinienne **d'éthique de tension** et qu'on a parlé de paradoxe chrétien.

Le Christ a vaincu la mort, il nous a libérés du péché et pourtant nous sommes pécheurs. Les chrétiens sont temples du Saint-Esprit, membres du Christ (cf. 1 *Co* 5,15.19) et pourtant ils restent des êtres fragiles à cause de la faiblesse et des limites humaines.

La tension créée entre la certitude du salut de Dieu et la crainte de ne pas accueillir ce salut dans sa vie propre est très importante à remarquer chez Paul. C'est là qu'on voit que son éthique, tout en étant fondée sur la foi en Jésus Christ qui nous a arrachés à ce monde de mal (cf. *Ga* ˙,4), doit se concrétiser dans une foi qui fait ses preuves en agissant dans l'amour (cf. *Ga* 5,6; 1 *Co* 13; *Rm* 13,10) et en même temps être objet d'espérance (1 *Co* 10,1-13; *Rm* 13,11-14).

3. «Avec Christ»

Paul a-t-il créé lui-même l'expression «avec le Christ» ou bien existait-elle avant lui sous la forme «avec le Seigneur»? Si oui, d'où provient cette expression et est-elle fréquente dans le Nouveau Testament? Nous répondrons d'abord à la dernière question en donnant un petit tableau comparatif que nous empruntons à l'ouvrage de Dupont.

Fréquence d'emploi de «avec Christ» dans le N.T.

Mt	4 fois	*Ac*	51 fois
Mc	6 fois	*Paul*	38 fois
Lc	26 fois		
Jn	3 fois		

Si l'on excepte le livre des *Actes*, il faut constater que c'est Paul qui a le plus souvent employé l'expression, mais il ne l'a pas créée. Elle existait avant lui, sous une forme plus simple, chez les Grecs et dans l'Ancien Testament.

Les Grecs connaissaient l'expression «avec les dieux»: elle signifiait la protection que l'homme a conscience de recevoir des dieux. Elle signifiait aussi le départ de l'âme après la mort pour aller vivre en société avec les dieux. Certains philosophes parlaient même d'une relation entre les dieux et les sages dès cette vie.

Dans la Bible hébraïque, nous retrouvons aussi l'expression «avec Yahvé». Moïse, dans le désert, se tenait avec Yahvé, c'est-à-dire en présence de Dieu:

> Mais toi, tu te tiendras ici auprès (avec) de moi, je te dirai tous les commandements... (*Dt* 5,31).

Auprès du prêtre Eli,

> Samuel grandissait avec Yahvé... (1 *S* 2,21.26).

Chez les prophètes, l'expression «marcher avec Yahvé» est employée pour signifier se conduire d'une manière conforme à la volonté divine:

> On t'a fait savoir, homme, ce qui est bien, ce que Yahvé réclame de toi: rien d'autre que d'accomplir la justice, d'aimer la bonté et de marcher humblement avec ton Dieu (*Mi* 6,8).

145

La conformité aux prescriptions divines entraîne une certaine société avec Dieu. Et Dieu est aussi avec son peuple. Plus on avance dans l'histoire, plus l'expression prend de la force. En *Za* 14,5 il est nettement question de vie future:

> Yahvé, mon Dieu viendra et tous ses saints avec lui.

On retrouve ce passage dans les sources de *Mt* 25,31 donc à l'époque du christianisme primitif:

> Quand le Fils de l'homme viendra dans sa gloire avec tous ses saints, alors il siégera sur son trône de gloire.

Les recherches exégétiques ont bien établi qu'une tradition chrétienne plus ancienne que Paul attestait que les saints étaient avec le Seigneur au moment de la parousie, c'est-à-dire au moment du retour du Christ.

Paul a repris cette affirmation dans sa première lettre aux *Thessaloniciens*:

> Qu'il (le Seigneur) affermisse vos cœurs dans une sainteté irréprochable devant Dieu notre Père, lors de la venue de Notre Seigneur Jésus avec tous ses saints (1 *Th* 3,13).

En s'inspirant de cette tradition, Paul a pu rassurer ces mêmes Thessaloniciens sur le sort de leurs morts:

> Si en effet nous croyons que Jésus est mort, qu'il est ressuscité, de même aussi ceux qui sont morts Dieu les ramènera par Jésus et *avec lui* (1 *Th* 4,14).

Pour Paul «être avec le Seigneur» signifie partager la gloire de Dieu:

> Quand le Christ, votre vie, paraîtra, alors vous paraîtrez *avec lui en pleine gloire* (*Col* 3,4),

et la vie glorieuse est liée à la personne du Christ:

> Il est fidèle, le Dieu qui vous a appelés à la communion *avec son Fils Jésus Christ Notre Seigneur...* (1 *Co* 1,9).

Cette vie de communion sera expliquée par Paul plus tard dans son épître aux *Romains* d'une façon merveilleuse:

> Enfants, héritiers de Dieu, cohéritiers de Christ, puisque ayant part à ses souffrances nous aurons part aussi à sa gloire... (*Rm* 8,17).

Dans ses premières lettres, cependant, son espérance chrétienne s'exprime dans les termes de l'apocalyptique juive. C'est une espérance collective toute orientée vers des biens concrets à venir. Peu à peu l'apôtre approfondira sa foi et il découvrira que le Christ ressuscité est avec nous et nous avec lui par notre baptême. Alors l'expression «avec le Christ» sera à la base de sa théologie baptismale.

Déjà dans sa lettre aux *Colossiens* nous voyons qu'il fait une référence directe au baptême:

> Du moment que vous êtes ressuscités *avec le Christ,* recherchez ce qui est en haut...
> Vous êtes morts en effet, et votre vie est cachée *avec le Christ en Dieu.*
> Quand le Christ, votre vie, paraîtra, alors vous aussi vous paraîtrez avec lui en pleine gloire (*Col* 3,1-4).

Dans ces versets, il est évident que «résurrection» désigne la naissance spirituelle du baptême, tout comme «mort» nous renvoie à la mort du péché; «caché en Dieu avec le Christ» signifie que la vie nouvelle — la vie chrétienne — est une vie de «déjà» ressuscité. Paul ne peut concevoir, après avoir réfléchi sur les conséquences de la mort-résurrection du Christ, une vie chrétienne banale vécue en dehors du Christ et de sa grâce de libération.

C'est dans l'épître aux *Romains* qu'il montre d'une manière unique comment le baptême marque le début de l'union du chrétien au Christ et à l'Église. Cette union est le commencement d'une vie nouvelle, d'une humanité nouvelle. Pour y entrer et y prendre part, le chrétien est obligé de se convertir, c'est-à-dire d'opérer un changement de son être intérieur, de mourir au péché. De plus cette exigence de conversion suppose un ensevelissement de la vie passée. Il n'y a pas de retour en arrière possible: le passé doit être liquidé. Et cette vie recommence chaque jour parce que chaque jour Dieu, par le Christ vivant, communique sa vie au chrétien.

Paul, afin de se faire bien comprendre sur la grandeur de la relation nouvelle entre le baptisé et Dieu, a créé des mots nouveaux: il a joint la préposition «*sûn*» (qui signifie «avec») aux verbes-clés qui décrivaient les étapes importantes du mystère du Christ: crucifier, ensevelir, ressusciter et vivre. En langage moderne nous dirions que par le baptême nous sommes des co-crucifiés, des co-ensevelis, des co-ressuscités et des co-vivants du Christ:

> Par le baptême, en sa mort, nous avons donc été *ensevelis avec lui (sunetaphèmen)* (*Rm* 6,4);
>
> ... notre vieil homme a été *crucifié avec lui (sunestaurôthè)* pour que soit détruit ce corps de péché... (*Rm* 6,6);
>
> Mais si *nous sommes morts avec Christ (sûn Christô)* nous croyons que *nous vivrons aussi avec lui (suzèsomen)* (*Rm* 6,8).

4. La résurrection

Parler de vie nouvelle «avec Christ», c'est parler d'espérance et de résurrection, c'est-à-dire d'eschatologie et l'eschatologie paulinienne prend sa source dans l'Ancien Testament. En tant que Juif, Paul attendait une intervention salvifique de Dieu à la fin des temps. Intervention qui devait changer les relations entre Dieu et les hommes et qui devait aussi changer les conditions humaines. En tant que chrétien, Paul a découvert que la mort-résurrection du Christ était l'événement eschatologique porteur de salut. Dieu était donc intervenu de façon définitive et tout était changé entre lui et les hommes.

Cette découverte est fondamentale pour comprendre l'enseignement de Paul sur la résurrection. Enseignement qui va s'approfondir de plus en plus et dont on peut découvrir l'évolution dans ses lettres.

Au temps de Paul, la pensée juive manquait d'unité au sujet de la survie: les Sadducéens croyaient que l'esprit qui avait perdu son corps ne vivait plus que sous une forme amoindrie; les Pharisiens croyaient, eux, à la résurrection des morts, mais ils se posaient des questions sur la forme de la vie après la mort; sur l'endroit où cette vie se vivait. Sur l'universalité de cette vie et même sur la possibilité de procréer à nouveau. Par contre, les Grecs, épicuriens et stoïciens, niaient toute survie individuelle. À la mort, l'âme se dissolvait avec le corps et elle se perdait dans un grand tout. D'autres qui suivaient l'enseignement de Platon croyaient que l'âme habitait le corps mais qu'elle était céleste et immortelle alors que le corps était terrestre et mortel. Tant qu'elle était dans le corps, elle était en prison et la mort devenait une délivrance. De plus si l'âme, durant sa vie terrestre, avait résisté aux séductions de la matière pour s'intéresser au bien et au vrai par la philosophie, à la mort elle s'en allait dans les astres. L'âme qui n'avait pas acquis cette pureté retournait à la matière dans un corps humain ou animal. La résurrection était donc inconciliable avec la pensée grecque: pourquoi reprendre un corps qui de nouveau emprisonnerait l'âme enfin libérée?

Paul aura l'occasion de donner une réponse à cette objection en prêchant la résurrection du Christ. Résurrection qui fonde la résurrection des morts pour ceux qui ont la foi. Résurrection qui est une grâce de Dieu. Après avoir vécu sa vie terrestre dans la foi au salut «en Christ», le chrétien espère «être avec le Christ» dans l'au-delà, puisque sa foi lui dit que le Christ est ressuscité. Mais qu'est-ce que la résurrection pour Paul?

Au début de son enseignement sur la résurrection, Paul s'inspire du message eschatologique de l'Église primitive. Et ce message est fortement marqué par l'apocalyptique juive et par l'enseignement du judaïsme hellénistique auxquels il emprunte le vocabulaire et le style. Mais peu à peu l'apôtre dépassera ce langage rempli d'images et sa vie et sa mort corporelles seront étroitement associées au mystère du Christ (cf. *Ph.* 1,12-26).

Dans *1 Thessaloniciens,* Paul, reprenant une formule de foi judéo-chrétienne, enseigne que «Jésus nous arrache à la colère qui vient» (1 *Th* 1,10) parce qu'il est ressuscité des morts. Cette affirmation est claire. Dans un langage accessible à son époque, il dit que le salut nous est advenu dans l'événement mort-résurrection du Christ. Nous sommes en 51 et Paul, tout comme les chrétiens de la primitive Église, attend la venue du Christ ressuscité dans l'immédiat. Il croit même que la majorité des chrétiens seront encore vivants lors de cette parousie du Christ. Ceci inquiète d'ailleurs les Thessaloniciens. Qu'adviendra-t-il de ceux qui sont déjà morts? Comment pourront-ils participer à cet événement? Pour les réconforter, Paul s'efforce, de préciser son enseignement: les morts ne seront pas défavorisés par rapport aux vivants puisque ce sont eux qui «ressusciteront d'abord» pour être ensuite réunis aux vivants, qui eux, seront transformés. Tous ensemble seront «avec le Seigneur» (1 *Th* 4,16-17). Et Paul, termine son exposé en invitant à la vigilance et à la sobriété; à se tenir prêt... (1 *Th* 5,6-8).

L'essentiel à retenir ici, c'est que le Christ est ressuscité, donc vivant, et qu'il va bientôt paraître. À ce moment les chrétiens seront avec lui: les morts ressusciteront, les vivants subiront une transformation. Mais Paul n'explique ni la résurrection ni la transformation. Ce qu'il décrit, c'est plutôt l'événement de la parousie et pour ce faire il fait référence aux parousies de son temps. Le vocabulaire est de circonstance. Mais déjà, perce, dans son enseignement, la nécessité d'un agir qui permettra aux chrétiens d'être prêts pour la rencontre «avec le Christ» (voir l'éthique chrétienne p. 142).

Quelques années plus tard, en 57, certains Corinthiens ont à leur tour des problèmes avec la résurrection. Ils sont dans l'erreur: ils croient en la résurrection du Christ tout en niant la résurrection des morts. Paul va affirmer de nouveau la résurrection corporelle et montrer à ces Corinthiens l'incohérence de leur position. En niant leur propre résurrection, ils ne peuvent pas croire à celle du Christ, car alors il n'y aurait rien de changé dans les conditions et les relations de Dieu avec les hommes. La résurrection du Christ, c'est avec sa mort sur la croix l'événement du salut... Le Christ ne peut pas être ressuscité et nous, continuer de mourir sans espérance...

Pour éclairer la foi chancelante des Corinthiens, Paul ne ménage rien. Il commence par leur rappeller leur credo, celui qui leur vient de la tradition (1 Co 15,3-5). Ensuite à partir de sa foi et de la foi de l'Église, il leur sert une argumentation serrée facilement accessible à des gens de culture grecque et il n'emploie que très peu d'images de l'apocalyptique juive (1 Co 5,12-58).

Dans une première partie de cette argumentation, il prend les Corinthiens là où ils sont. Comme ils nient la résurrection des morts, c'est pas à pas que l'apôtre leur montre leur erreur. Ils sont en train de vider leur foi et sa prédication de leur contenu; d'accuser les apôtres de faux-témoignage; de se retrouver dans leur péché. Les morts sont alors perdus et les croyants qui ont tout misé sur le Christ sont les plus malheureux des hommes (1 Co 15,12-19).

Dans une deuxième partie, Paul met l'accent sur la résurrection du Christ en tant que premier acte de la résurrection des morts. Pour développer sa pensée, il a recours aux oppositions mort/vie, grâce/péché, Adam/Christ. Ces antithèses seront reprises en Rm 5,12-21. Elles montrent que chez Paul la perspective de la mort/résurrection ne concerne pas uniquement la vie corporelle, mais aussi la vie spirituelle (1 *Co* 15,20-34).

Ensuite, jusqu'à la fin du chapitre 15, il entreprend de répondre à la difficile question du corps de la résurrection. Ce corps est spirituel (*pneumatikon*) car un corps psychique (*psuchikon*) ne peut pas ressusciter. Ici Paul essaie, tout en étant fidèle à son anthrologie juive de rendre la croyance en la résurrection accessible aux Corinthiens de culture différente. Bien sûr, son exposé n'est pas encore exempt de toute image d'apocalypse : la trompette est présente au v. 52 pour sonner le moment de la résurrection, mais déjà Paul sait s'adapter au milieu de Corinthe. Et c'est avec émotion qu'il conclut son exposé en revenant à l'Écriture pour lancer son cri de victoire sur la mort, inviter à l'action de grâce, à la fermeté et au progrès dans la foi :

> Quand donc cet être corruptible aura revêtu l'incorruptibilité... alors se réalisera la parole de l'Écriture : la mort a été engloutie dans la victoire.
> Mort où est ta victoire ? Mort où est ton aiguillon ?
> ... Rendons grâce à Dieu qui nous donne la victoire par notre Seigreur Jésus Christ... soyez fermes, inébranlables, faites sans cesse des progrès dans l'œuvre du Seigneur ; sachant que votre peine n'est pas vaine dans le Seigneur (1 *Co* 15,54-58).

L'essentiel du message de Paul, c'est que la foi en la résurrection des morts est fondée sur celle de Jésus (1 *Co* 6,14 ; 2 *Co* 4,14 ; 13,4 ; *Rm* 6,5-8 ; 8-11). Le Christ ressuscité est prémices de ceux qui sont morts (1 *Co* 15,20). Paul parle de cette résurrection comme étant corporelle, mais sous la forme d'un corps spirituel. Comment sera ce corps ? Paul ne le dit pas, seulement, il reprend sous des mots différents la nécessité d'une conduite chrétienne sans cesse en progrès pour réaliser l'œuvre du Seigneur. Il sait bien au fond que le problème des Corinthiens est justement de ne pas être adultes dans la foi, il le leur avait reproché au début de sa lettre (1 *Co* 3,1-4).

Paul poussera-t-il plus loin sa réflexion sur la résurrection ? Oui, en 2 *Co* 5,1-10 — passage très difficile — il tentera de rassurer les Corinthiens qui semblent avoir encore des problèmes avec le corps de la résurrection. L'interprétation de ce passage a suscité des positions fort différentes chez les exégètes. Les discussions se font autour des versets 3-5 particulièrement où il est question d'être vêtu et non pas nu au moment de la résurrection. Bien sûr il ne s'agit pas de vêtement au sens propre du terme. La tradition chrétienne des Pères de l'Église a interprété cette expression au sens de sainteté. Et peu à peu au cours de l'histoire de l'Église, surtout de vie intermédiaire de l'âme en attendant la résurrection du corps à la parousie; de résurrection immédiate après la mort. Qu'en est-il? de plus en plus les exégètes croient que la résurrection est immédiate après la mort. Si notre cheminement de foi n'est pas terminé, si notre accueil du salut n'a pas achevé en nous la justification nécessaire pour vivre «avec le Christ», Dieu peut parfaire son œuvre en quelques instants. Dieu est différent de nous, il est le Tout-Autre, il se situe en dehors du temps.

Cependant Paul, lui, ne s'expliquerait-il pas ailleurs, dans ses lettres? Le passage de *Ph* 1,21-24 est révélateur et semble nous indiquer que l'apôtre croyait à une résurrection immédiate après la mort. Dans ce passage, il est placé devant un choix: la mort prochaine qui le placera «avec le Seigneur» ou bien une vie prolongée pour le bien des Philippiens. Il semble clair que Paul, s'il meurt, croit être aussitôt *avec le Christ.* Reporter sa résurrection n'aurait pas de sens surtout si l'on tient compte de son anthropologie: c'est *avec son corps* que Paul croyait ressusciter (cf. p. 92). Toutefois, dans ce passage comme dans les autres précédents, la vie «avec le Christ» commence dès ici-bas et cette vie se vit «en Christ...» Paul va jusqu'à dire: «Pour moi vivre, c'est le Christ». (*Ph* 1,21, cf. *Ga* 2,20; *Rm* 8,10-11; *Col,* 3,3-4).

Il faut ajouter, en guise de conclusion, que la vie nouvelle «en Christ» que dicte l'éthique chrétienne et la vie nouvelle «avec Christ» qui fonde la foi et l'espérance chrétienne sont étroitement liées dans la théologie de Paul. Et son enseignement sur la résurrection est inséparable de son enseignement sur la mort au péché et sur une acceptation de la mort sous toutes ses formes: souffrance, faiblesse, lutte, pourquoi? Parce que toute sa théologie est centrée sur le Christ mort-ressuscité. Le Christ met fin à un éon, il en commence un autre. Il est la réponse à l'attente eschatologique du salut, il est en même temps l'espérance de l'achèvement de ce salut pour chaque croyant. Le temps de la vie de chacun devient le temps de faire ses preuves par un comportement chrétien dans l'engagement de sa vie. C'est le temps d'assumer sa condition humaine limitée et finie, mais en ayant foi en la résurrection finale.

Nous sommes *déjà* sauvés, nous vivons une vie nouvelle, mais le salut est *encore* à réaliser en chacun et dans notre monde actuel, car la mort est toujours présente : mort physique et mort spirituelle. À cause de cela notre situation est précaire, elle est en tension et c'est seulement par l'union au Christ que nous pouvons garder l'assurance d'un salut achevé. Nous devons vivre dans l'attente du

> Seigneur Jésus qui transformera notre corps humilié pour le rendre semblable à son corps de gloire, avec la force qui le rendra capable de se soumettre à toutes choses (*Ph* 3,20-21).

Plus haut nous avons posé la question : «Qu'est-ce que la résurrection»? C'est peut-être dans ces versets de la lettre aux Philippiens que Paul donne sa meilleure réponse car elle vient du Paul prisonnier qui vit dans sa vie la mort du Christ.

Bibliographie choisie sur la vie nouvelle

1.   «En Christ»

BOUTTIER, M.,   *En Christ,* Paris, Presses Universitaires, 1962.

NEIRYNCK, F.,   «Christ en nous — Nous dans le Christ chez saint Paul», *Conc* 50 (1969) 121-134.

NIELSON, J.B.,   *In Christ,* Kansas City, University Press, 1960.

GERRITZEN, F.,   «Le sens et l'origine de l'en Christ paulinien» dans *Studiorum Paulinorum Congressus,* Rome, Institut Biblique Pontifical, 1961, pp. 323-331.

2.   L'éthique paulinienne

AUSTGEN, R.J.,   *Natural Motivation in Pauline Epistles,* Notre Dame, Notre Dame University Press, 1969.

BOUTTIER, M.,   *La condition chrétienne selon saint Paul,* Genève, Delachaux, 1964.

CORRIVEAU, R.,   *The Liturgy of Life. A Study of the Ethical Thought of St Paul in his Letters to the Early Christian Communities,* Montréal, Bellarmin, 1970.

ENSLIN, M.S.,   *The Ethics of Paul,* Nashvville, Abingdon Press, 1957.

FURNISH, V.,   *Theology and Ethics in Paul,* Nashville, Abingdon
                         Press, 1968.
MOULE, C.F.D.,   «Obligation in the Ethic of Paul», dans *Christian His-
                         tory and Interpretation,* Cambridge, University Press,
                         1967.
MURPHY-O'CONNOR, J., *L'existence chrétienne selon saint Paul,* Paris, Cerf.
                         1974
REFOULÉ, F.,   *Marx et saint Paul: libérer l'homme,* Paris, Cerf, 1973.
SCHNACKENBURG, R.,   «Paul», dans *Le message moral du Nouveau Testa-
                         ment,* Le Puy, Xavier-Mappus, 1963, pp. 237-277.
SCHÜRMANN, H.,   «La loi du Christ (Ga 6,2). Le comportement et la
                         parole de Jésus comme norme morale suprême et défi-
                         nitive d'après saint Paul» dans *Comment Jésus a-t-il
                         vécu sa mort?* Paris, Cerf, 1977, pp. 117-144.

3.   «*Avec Christ*»

DUPONT, J.,   *Syn Christôi: L'union avec le Christ suivant saint Paul,*
                         Paris, Desclée de Brouwer, 1952.
TANNEHILL, R.C.,   *Dying and Rising with Christ,* Berlin, Töpelmann,
                         1967.

4.   *La résurrection*

AUDET, L., et al., l   *Résurrection,* Montréal, Bellarmin, 1971.
CHARPENTIER, E.,   *Christ est ressuscité!* CE 3, Paris, Cerf, 1973.
DAHL, M.E.,   *The Resurrection of the Body. A Study of 1 Corinthians
                         15,* London, SCM, 1962.
FEUILLET, A.,   «Le corps du Seigneur ressuscité et la vie chrétienne
                         d'après les épîtres pauliniennes», dans *Resurrexit,*
                         Rome, Librairie du Vatican, 1974.
GOURGUES, M.,   *L'au-delà dans le Nouveau Testament,* CE 41, Paris,
                         Cerf, 1982.
GRELOT, P.,   *De la mort à la vie éternelle,* Paris, Cerf, 1971.
GUILBERT, P.,   *Il ressuscita il troisième jour,* Paris, Le Centurion,
                         1975.
LANGEVIN, P.-E.,   *Jésus Seigneur et l'eschatologie: Exégèse des textes
                         prépauliniens,* Bruges-Paris, Desclée de Brouwer, 1967.

LÉON-DUFOUR, X.,   *Résurrection de Jésus et message pascal,* Paris, Seuil, 1971.

MERODE, M., de   «L'aspect eschatologique de la vie et l'Esprit dans les épîtres pauliniennes», *ETL* 51 (1975) 96-112.

MOORE, A.L.,   *The Parousia in the New Testament,* Leiden, Brill, 1966.

PERROT, C.,   «Paul et la résurrection de Jésus», *Quatre Fleuves* (1982) 23-33.

RIGAUX, B.,   *Dieu l'a ressuscité,* Gembloux, Duculot, 1973.

ROETZEL, C.J.,   *Judgment in the Community. A Study of the Relationship between Eschatology and Ecclesiology in Paul,* Leiden, Brill, 1972.

SHIRES, H.M.,   *The Eschatology of Paul in the Light of Modern Scholarship,* Philadelphie, Westminster, 1966.

WHITELEY, D.E.H.,   «Eschatology», dans *The Theology of St Paul,* Oxford, Blackwell, 1966, pp. 233-273.

VII

Conclusion:

Actualité de Paul

Dans notre monde angoissé, il n'est pas sans intérêt de lire et d'étudier les lettres de Paul. À son époque — tout comme aujourd'hui — la paix n'était qu'apparente et l'immense majorité des peuples cherchait un sens à la vie. Les uns se livraient aux pratiques occultes, les autres s'adressaient aux astres. Les Juifs, eux, qui avaient attendu le Messie pendant des millénaires, butaient sur la croix de Jésus Christ. Tous voulaient vivre heureux et libres. Tous rêvaient d'un monde meilleur, d'un salut.

Parmi les Juifs, une nouvelle surprenante circulait: Jésus de Nazareth — le sauveur — était déjà venu, il était mort crucifié mais Dieu l'avait ressuscité. Et certains de ses amis — ses disciples — affirmaient qu'ils l'avaient vu. Ils étaient sûrs qu'il vivait encore parmi eux et leur foi était si grande qu'ils annonçaient son Évangile. Moins de vingt ans après sa mort, son message de salut s'était répandu avec une rapidité prodigieuse: il avait franchi les limites de la Palestine — le petit pays où Jésus avait vécu —, il s'était infiltré peu à peu dans l'Empire. De bouche à oreille, on se transmettait l'histoire de ce Jésus extraordinaire. On se répétait ses paroles, on se réunissait par petits groupes pour rappeler sa mission. On vivait dans l'espérance de le voir bientôt paraître à nouveau et d'être avec lui pour toujours.

Cependant ces groupes inquiétaient beaucoup les autorités religieuses de la communauté juive. Devant leur prolifération, Jérusalem et les synagogues locales ont donc réagi. Il fallait empêcher l'hémorragie qui menaçait la religion des ancêtres. Ces groupes nouveaux qui se réclamaient du Christ devaient disparaître...

C'est alors que l'heure de Paul a sonné...

C'est lui qui va empêcher non seulement les groupes chrétiens de disparaître mais qui va en faire surgir d'autres, innombrables, aux carrefours des routes du monde. La tâche que Dieu lui réserve est unique: universaliser le message du Christ.

Aujourd'hui encore, c'est l'heure de Paul... D'ailleurs l'histoire nous rappelle qu'il a toujours présidé en quelque sorte aux moments difficiles de l'Église. Aujourd'hui comme au temps de Paul le monde est bouleversé. La vie a perdu son sens. Des guerres inhumaines perdurent. On assiste impuissant aux renversements des valeurs familiales, sociales, politiques, religieuses. La paix est de plus en plus fragile. Le monde entier vit dans l'angoisse en songeant qu'il suffirait à *un seul homme* de peser sur un seul bouton d'ordinateur pour faire éclater la planète. Qu'en serait-il alors de toute l'évolution de notre société, de toute la technologie perfectionnée qui a coûté tant d'efforts? Qu'en serait-il de notre bonheur, de notre liberté? Comment vivre en proie à une telle angoisse? L'Évangile de Jésus Christ peut-il encore signifier quelque chose pour notre monde? Un chrétien de la fin du 20e siècle est-il encore en mesure d'annoncer l'Évangile du salut? Bien sûr et la lecture courageuse des lettres de Paul peut nous aider parce que ces lettres sont PAROLE DE DIEU et que la parole de Dieu est toujours agissante.

Une lecture courageuse se fait en ouvrant la Bible et en lisant une lettre à la fois, au complet et sans hâte. Il est temps de ne plus se contenter de la lecture morcelée que nous offre la liturgie du dimanche. À l'école de Paul, nous apprendrons ce qu'il faut dire et comment le dire, non en copiant l'apôtre, mais en s'inspirant de son sens de l'adaptation, de sa pédagogie et surtout de son amour pour le Christ et pour l'Église.

Ainsi la *1ère aux Thessaloniciens* nous apprend les questions brûlantes qui se posaient dans l'église de Thessalonique au sujet de l'espérance d'une survie. Paul répond de son mieux à ces questions. Il essaie d'expliquer son espérance chrétienne encore marquée par l'attente juive, en la traduisant dans une langue accessible aux Thessaloniciens. Il utilise les symboles de son époque. Ce n'est pas facile, mais le message qu'il laisse est précieux: nécessité de se détourner des idoles pour se tourner résolument vers Dieu; espérance d'une vie meilleure qui s'appuie sur une foi vécue dans des pratiques bien précises d'amour fraternel, de travail, de refus d'inceste, de respect de la femme, de sobriété, d'acceptation de la souffrance et de la mort.

Dès l'origine, dans les premières communautés chrétiennes, l'Évangile de Jésus Christ n'est pas une idéologie mais une foi profonde qui se vit en donnant justement un sens à la vie.

La correspondance de Paul avec les *Corinthiens* est particulièrement intéressante. Les dossiers qui y sont accumulés pourraient figurer avantageusement parmi les dossiers qui sont à l'ordre du jour dans l'Église actuelle. L'église de Corinthe connaît des problèmes de divisions à cause d'une tendance à l'illuminisme. La réalité chrétienne s'estompe au profit des querelles et des jalousies. Paul doit faire preuve de tact, de patience et d'amour.

Les Corinthiens ont beaucoup de difficultés à accepter le message de la croix du Christ et pourtant c'est l'essentiel. Pour eux, comme pour toute personne, la croix est un non-sens, voire un scandale. C'est le contraire de ce que tout être humain peut espérer en tant que libération et salut. En effet, comment accepter la mort du Christ et croire en sa résurrection comme assurance de la nôtre? Comment accepter la souffrance qui s'étale, le mal qui gruge et la faiblesse qui est opprimée partout et de plus en plus? La réponse de Paul tombe drue: seule la foi fondée sur Jésus Christ peut apporter une aide à l'angoisse humaine. Et cette foi est vécue dans le quotidien. L'apôtre propose donc des solutions concrètes pour vivre cette foi. Ce sont les premières réflexions sur une éthique chrétienne appliquée aux problèmes de l'amour, du mariage, des conditions sociales, du rôle et de la place des femmes dans l'Église. Paul explique aussi comment vivre la liberté chrétienne sans tomber dans le laxisme. Il montre que tout en restant attaché à la tradition, on doit changer certaine coutumes dans les célébrations eucharistiques; l'ordre du jour et le contenu des rencontres communautaires doit aussi être révisé. Il invite au partage, au don généreux en faveur du Tiers-Monde de l'époque. Il parle de sa joie devant le repentir. Il crie sa colère et son indignation devant ses adversaires. Mais par-dessus tout, il trace aux Corinthiens la route la plus sûre et la plus rapide pour vivre l'Évangile: l'amour fraternel. Avec un soin particulier, il décrit cet amour en le qualifiant par une quinzaine de verbes plutôt que par des adjectifs.

Et ces verbes semblent avoir un rapport très étroit avec les désordres qui perturbent l'église de Corinthe. Paul attaque le mal à sa racine. Pour lui, aimer c'est important. Aimer, c'est agir.

Le Paul des lettres aux *Corinthiens* est peut-être le plus facile d'accès et le plus actuel. Il s'agit de décrypter son message et de le coder pour nos ordinateurs modernes. Nous aurons alors des exposés adaptés à notre monde en ébullition. Nous saurons comment être chrétiens dans nos familles éclatées; dans nos écoles où seul, le visage confessionnel est témoin d'une foi qui se meurt; dans nos hôpitaux où l'avortement et l'euthanasie créent des problèmes de conscience; dans le monde du travail préoccupé par la condition des travailleurs en général et par celui des femmes en particulier.

Le Paul de la lettre aux *Philippiens* est aussi très attachant. C'est le converti — et chaque chrétien doit se convertir chaque jour — qui connaît le Christ; qui traite le passé comme il se doit; qui répond à l'appel intérieur de dépassement; qui s'élance vers l'avenir dans une espérance et une foi sans faille. C'est aussi dans cette lettre que Paul nous livre l'essence même de sa christologie autrement dit de son Évangile de la croix. Si nous voulons connaître le mystère du Christ et conformer notre vie à la sienne, l'hymne de *Ph* 2,6-11 contient tout ce qu'il faut pour inspirer et alimenter la prière et l'agir du chrétien de notre temps. C'est aussi dans cette lettre que l'apôtre manifeste d'une façon particulière son amour du prochain. Cet amour se préoccupe de trouver ce qu'il y a de mieux pour autrui et cela dans chaque situation. Le tact affiné de l'apôtre, son attention à l'autre, son discernement sont des qualités que tous et chacun devraient posséder et mettre en pratique. On éviterait dans l'Église des heurts et des contre-mouvements malheureux.

La lettre aux *Galates* peut, elle aussi, nous interpeller car la question qui préoccupait les Galates est toujours actuelle. On sait que Paul leur avait prêché la liberté chrétienne mais la liberté fait toujours peur... Les Galates ont ainsi accepté facilement le retour à la pratique juive de la loi prônée par des prédicateurs ambulants. La loi, c'est tellement rassurant... Bien sûr la lettre aux *Galates* n'est pas facile à lire à cause des sujets traités et de l'émotivité de Paul. Mais une fois qu'on a compris la situation de crise vécue par les églises de Galatie, on peut saisir la richesse du message: la justification par la foi en Jésus Christ et la liberté chrétienne. Les chrétiens de ces communautés sont placés devant un choix difficile à faire: vivre leur vie chrétienne en continuant de rester attachés aux pratiques juives ou bien vivre cette vie dans la liberté des enfants de Dieu. Sauvés par la foi en la mort-résurrection du Christ doivent-ils continuer à croire que le salut s'obtient comme une médaille olympique par des performances de plus en plus compliquées ou bien doivent-ils accueillir ce salut de Dieu en vivant leur foi libérés de tout égoïsme et de toute peur? Questions difficiles à trancher pour les «marathonniens» du légalisme qui veulent à tout prix devenir des saints par leurs propres moyens, alors qu'il faut marcher selon l'Esprit.

L'homme selon Paul n'a plus à opérer son salut, car c'est Dieu qui, par Jésus Christ a réparé la fêlure du péché, il a sauvé le monde. La seule chose que l'homme doit faire, c'est de sortir de lui-même, de ses œuvres et de ses exploits pour s'ouvrir à Dieu et aux autres. Sa foi et son amour servent de mesure à Dieu pour réaliser pleinement sa libération. Plus sa mesure est grande, large, profonde, plus elle offre d'espace d'accueil. Plus Dieu, le Christ et l'Esprit sont à l'aise pour travailler.

La lettre aux *Romains* est une sorte de synthèse de la pensée paulinienne. C'est l'écrit le plus difficile de Paul. Il faut lui réserver de longs moments de réflexion. Les développements de l'apôtre sur la loi, la mort et le péché risquent de nous étouffer. La langue, la façon d'argumenter, le mode de penser, tout peut nous surprendre. Par contre les exposés sur le baptême, sur la libération et sur la présence agissante de l'Esprit sont d'une spiritualité de tous les temps. Il en est de même de la croix que Paul présente sous l'angle de l'amour de Dieu et du don de soi. Les exhortations finales sur les rapports entre chrétiens faibles et forts nous révèlent aussi un apôtre préoccupé de l'unité et de l'accueil fait aux uns et aux autres.

Dans la lettre aux *Romains,* Paul reprend, en les expliquant les thèmes de la lettre aux *Galates:* justification par la foi, liberté chrétienne, vie dans l'Esprit, confiance en Dieu qui sauve le monde. Ces grands thèmes font partie des questions qui hantent le cœur des hommes et des femmes d'aujourd'hui... Le monde de notre temps a besoin de se sentir justifié. Il a besoin de se sentir libre. Il a besoin de savoir qu'il possède en lui un dynamisme intérieur capable de le lancer et de le maintenir dans la grande aventure de la vie. Il a besoin de Dieu plus que jamais. Il sait tellement que tous les progrès scientifiques ne peuvent pas grand-chose pour apporter une solution à ses problèmes face à la mort, à la souffrance et au mal.

Ces quelques exemples montrent que les lettres de Paul — celles qui sont reconnues comme authentiques de même que les autres — peuvent aider les chrétiens d'aujourd'hui dans leur cheminement de foi. Elles demeurent, bien sûr, l'expression d'une théologie adaptée aux chrétiens du 1er siècle. Des chrétiens en chair et en os. Des chrétiens de tel et tel milieu. Mais leur interprétation loyale et sincère en tant que PAROLE DE DIEU peut éclairer les chrétiens de tous les temps et de tous les milieux. Il s'agit de relire ces lettres à la lumière de l'histoire pour mieux les comprendre et surtout à la lumière de l'Esprit qui habite en nous et nous révèle à chaque instant le surgissement de Dieu dans notre vie.

Bibliographie générale

Ouvrages d'initiation

CERFAUX, L.,   *L'itinéraire spirituel de saint Paul,* Paris, Cerf, 1966.

COLSON, J.,   *Paul, Apôtre Martyr,* Paris, Seuil, 1971.

COTHENET, E.,   *Saint Paul en son temps,* CE 26, Paris, Cerf, 1978.

DRANE, J.,   *Saint Paul. Sa vie et son œuvre,* Paris, Le Centurion, 1981.

ELLIS, E. E.,   *Paul and his Recent Interpreters,* Grand Rapids, Eerdmans, 1975.

FITZMYER, J.A.,   *Pauline Theology,* Englewood Cliffs, Prentice Hall, 1967.

GEORGE, A.,   *L'évangile de Paul,* Paris, Les Équipes enseignantes, 1968.

GIBERT, P.,   *Apprendre à lire saint Paul,* Paris, Desclée de Brouwer, 1981.

HARRINGTON, W.,   *Introduction à la Bible,* Paris, Seuil, 1971.

KUEN, A.,   *Les lettres de Paul,* St-Légier, Emmaüs, 1982.

Études plus approfondies

BENOIT, P.,   *Exégèse et théologie,* T. 1., Paris, Cerf, 1961, pp. 62-90; T. 2, Paris, Cerf, 1961, pp. 9-117; T. 3, Paris, Cerf, 1968, pp. 285-337.

BEKER, J.C.,   *Paul the Apostle. The Triumph of Thought,* Philadelphie, Fortress Press, 1980.

BORNKAMM, G.,   *Paul, apôtre de Jésus-Christ,* Genève, Labor et Fides, 1971.

BUCKLEY, T.W.,   *Apostle to the Nations. The Life and the Letters of St. Paul,* Boston, St. Paul Ed., 1981.

BULTMANN, R.,	*Theology of the New Testament,* T. 1, London, SCM Press, 1965, pp. 187-352.
CAMBIER, J.,	«Paul», *SDB* 7 (1962), col. 279-387.
GEORGE, A. et GRELOT, P.,	*Introduction à la Bible,* T. 3, Paris, Desclée, 1977, pp. 13-194.
KÄSEMANN, E.,	*Perspectives on Paul,* Philadelphie, Fortress Press, 1971.
KÜMMEL, W.G.,	*Introduction to the New Testament,* Nashville, Abingdon Press, 1973, pp. 247-403.
LORENZI, L. de,	*Paul de Tarse, apôtre de notre temps,* Rome, Abbaye de Saint-Paul-Hors-les-Murs, 1979.
RIDDERBOS, H.,	*Paul. An Outline of his Theology,* Grand Rapids, Eerdmans, 1975.
RIGAUX, B.,	*Saint Paul et ses lettres,* Paris, Desclée, 1962.

Quelques commentaires en français

BONNARD, P.,	*L'épître de saint Paul aux Galates,* Paris-Neuchâtel, Delachaux et Niestlé, 1972.
COLLANGE, J.-F.,	*L'épître de saint Paul aux Philippiens,* Paris-Neuchâtel, Delachaux et Niestlé, 1973.
LEENHARDT, F.J.,	*L'épître de saint Paul aux Romains,* Paris-Genève, Labor et Fides, 1981.
SENFT, C.,	*La première épître de saint Paul aux Corinthiens,* Paris-Neuchâtel, Delachaux et Niestlé, 1979.

Index des auteurs cités

Index analytique

Table des matières

171

Collection

LECTURES BIBLIQUES

1. NEUVE EST TA PAROLE — Année A
2. VIVANTE EST TA PAROLE — Année B
3. PROCHE EST TA PAROLE — Année C
4. CRI DE DIEU, ESPOIR DES PAUVRES
5. LE MOT DU JOUR — Vol. I
6. PAROLES DE VIE
7. HOMÉLIAIRE — Année A
8. HOMÉLIAIRE — Année B
9. HOMÉLIAIRE — Année C
10. DÉCOUVRIR LA BIBLE
11. UNE PAROLE LIBÉRATRICE
12. LA PLÉNITUDE DES TEMPS
13. BIBLE ET CHEMINEMENT DE FOI
14. LA BIBLE: LIVRE POUR AUJOURD'HUI
15. UNE PAROLE D'ESPÉRANCE
16. LA BIBLE EN PRIÈRE
17. LE MOT DU JOUR — Vol. II
18. LE MOT DU JOUR — Vol. III
19. SAINT PAUL: INTRODUCTION À SAINT PAUL ET À SES LETTRES
20. LE MOT DU JOUR — Vol. IV

Imprimerie des Éditions Paulines, 250 nord, boul. St-François, Sherbrooke, Qué. J1E 2B9

IMPRIMÉ AU CANADA